TAINAN Jiijii
台南じいじい・著

たんしんつうしん
台湾だより

文芸社

プロローグ

私事ですが、五十歳を過ぎて人生初めての単身赴任の身となりました。

若い独身の頃、一人暮らしはとっても気楽で、根拠のない期待感であふれていたものです。何か面白いことがあるんじゃないか、いつか素敵な出会いがあるかもしれないと、まだ見ぬ輝かしい未来に心をときめかせているだけで楽しかったものです。

ところが今、この年齢になって一人暮らしをしてみると、なんとも味気ないもので、何をやっても「せいぜいこんなものか……」という先を見越したあきらめと寂しさばかりが身に染みるのです。

家族と生活していた時は、たまの休日でも、「お父さんじゃなきゃできないから」とおだてられ、体よく妻にこき使われたものです。時には鬱陶しく感じたこともありましたが、今となっては家族の愛情にあふれた幸せな毎日であったことを痛感します。

そして、今はそれらの鬱陶しさから解き放たれたわが身が、糸の切れた凧のようで、なんともみじめな気がします。自由を勝ち取ったがために新たに生まれた〝心の不自由さ〟に、言いようのない息苦しさを感じている今日この頃です。

でも、ここ台湾は太陽が燦燦と降り注ぐ南国。せっかく来たのだから、明るく楽しい台湾を満喫しましょう！　さて、まずは昼飯でも食べに行こうかな……。

勇気を出して食べ歩けば、そのうち腸内細菌も台湾モードになるかな？　それまでは食あたりしませんように！

たんしんつうしん　◎目次

Ⅱ　パパのママチャリ

Ⅲ　ベストショット

Ⅳ　心のメンテナンス……95

I

台湾の楽しい食卓

同化・人体の不思議

台湾名物、夜市。私の住んでいる街にも大きな夜市があります。夜市は賑やかです。夕方ここに来ると、毎日がお祭りのようです。食べ物の屋台、洋服屋、小物売り、ゲームなどなんでもあります。特に食べ物の種類は豊富です。

私もよく、気晴らしに夜市を一人でぶらぶら見て回ります。すると、どこからともなくツンと鼻を突く臭いにおいがしてきます。きょろきょろあたりを見回しても最初はわからないのですが、よく見ると数メートル先に『臭豆腐』の看板。世界三大臭い食べ物、その名も「臭豆腐《チョウドウフ》」。数メートル先でも胸が悪くなるこのにおい、恐るべし。

私は、街角でもこの臭豆腐を売っている店の前を通るのが嫌でした。ところが、ある会合で罰ゲームよろしく無理やり食べさせられた「臭豆腐」。意外や意外、とってもおいしいことに気がつきました。今まで食わず嫌いのまま、頭の中だけで悪魔のごときイメージを膨らませていた臭豆腐、実際に食べてみるとなんとおいしいことか！　旨みと、ほどよい酸味。これは世界三大うまい発酵食品といえるでしょう。

それ以来、不思議なことに、臭豆腐の店の前を通ることが全く苦にならなくなりました。今まで拒絶していたにおいを受け入れている自分がいることに驚いています。他人のおならは嫌だけど、自分のおならは愛おしい……。すでに臭豆腐は私の体の一部になってしまったのでしょうか？　心はまだ日本人のつもりですが、体はすでに台湾人なのかな？　人体の不思議。

私のおやじ臭を嫌う妻。今度台湾に遊びに来たら臭豆腐を食べさせよう。「大嫌い」が「大好き」になるかもね。

勇み足の食文化交流

これも夜市での話。いつものようにぶらぶら夜市を歩いていると、かわいいコオロギの絵が描かれた『炸蟋蟀（揚げコオロギ）』の看板。「あれはいったい何だ！」と、近づいてよく見ると、串刺しされたグロテスクなコオロギが……強烈！　それ以来、夜市に行くたびに、話のタネに一度は食べなければ、という衝動に駆られるのですが、今一歩のところで買う勇気が湧きません。

そんなある日、日本から家族みんなが台湾に遊びに来たので、早速、夜市にも連れて行きました。一通り見て回ってから、最後にコオロギの店で、私は当たり前のような顔をして「炸蟋蟀」を一串購入。自分では一度も食べたことがないくせに、「これおいしいよ」と何食わぬ顔で妻に勧めたら、躊躇なく一匹頬張りました。えっ、本当に食べちゃったの？　と内心驚き、焦りました。

「……大丈夫？」

店の前では男子と女子の仲良しグループがキャーキャー言いながら誰が食べるか相談していました。そのうち、ひとりの男の子が名乗り出るとやんやの拍手喝采。まさにヒーロー扱いでした。

「うん、べつに」

「本当に？　じゃ、俺も一口！」

ついに念願のコオロギを食べることができました。噛んだら、ぶにゅーと生臭い内臓が出てくるものとばかり思っていましたが、揚げてあるから食感はパリパリ、味は特になし。

ついでに、最近ギターを習い始めた息子にも勧めました。

「これを食べると、いい音が出せるようになるらしいよ。ほら、ほら」

炸蟋蟀を最初に見た時はびっくりしましたが、日本でも蜂の幼虫やイナゴは貴重な蛋白源として昔から食べられてきました。「ところ変われば品変わる」です。それを考えれば、コオロギを食べてもそれほど不思議ではありません。


後日、会社で「あなたも台湾人の仲間入りだ」と褒められることを期待して、炸蟋蟀を食べたことを自慢しました。しかし、返ってきた言葉は、

「えーっ、コオロギなんか食べたんですかーっ？」

ついに、ゲテモノ食いのレッテルを貼られる羽目に。

エプロン効果

台湾の夏は暑いので、自宅ではいつもできる限り薄着、限りなく露出。これ、単身赴任者の特権。女房に怒られる心配はありません。しかし……、しかしです。単身赴任は気楽だけれど、一方でなんでも自分でしなければならないから面倒くさい。パンツの洗濯だって、便所掃除だって、もちろん自炊だってしなければならないのです。

そこで、大発見。上半身裸で自炊をすると危険です。フライパンで炒め物をすると、結構熱い。ピチピチはねた油が、中年太りした恰幅のいいおなかにチクチクと食いつくのです。

そこで活躍するのがエプロン。エプロンは偉大です。中年太りした私のかわいいおなかを守ってくれるのです。これは快適。

それに、エプロンをすると気持ちが引き締まります。昔々、「紅三四郎」というテレビアニメがありましたが（知っている人はかなり年配です）、主人公の空手家、三四郎が赤い空手道着を着ると、変身したように強くなるのです。まさにそんな感じ。エプロンをすると気持ちが引き締まって、「よしやるぞ!」という気分になります。

　単身赴任の皆さん、嘘だと思ったら試してみてください。ほら、気持ちがきゅっと引き締まるでしょ?　これぞエプロン効果。変身!?

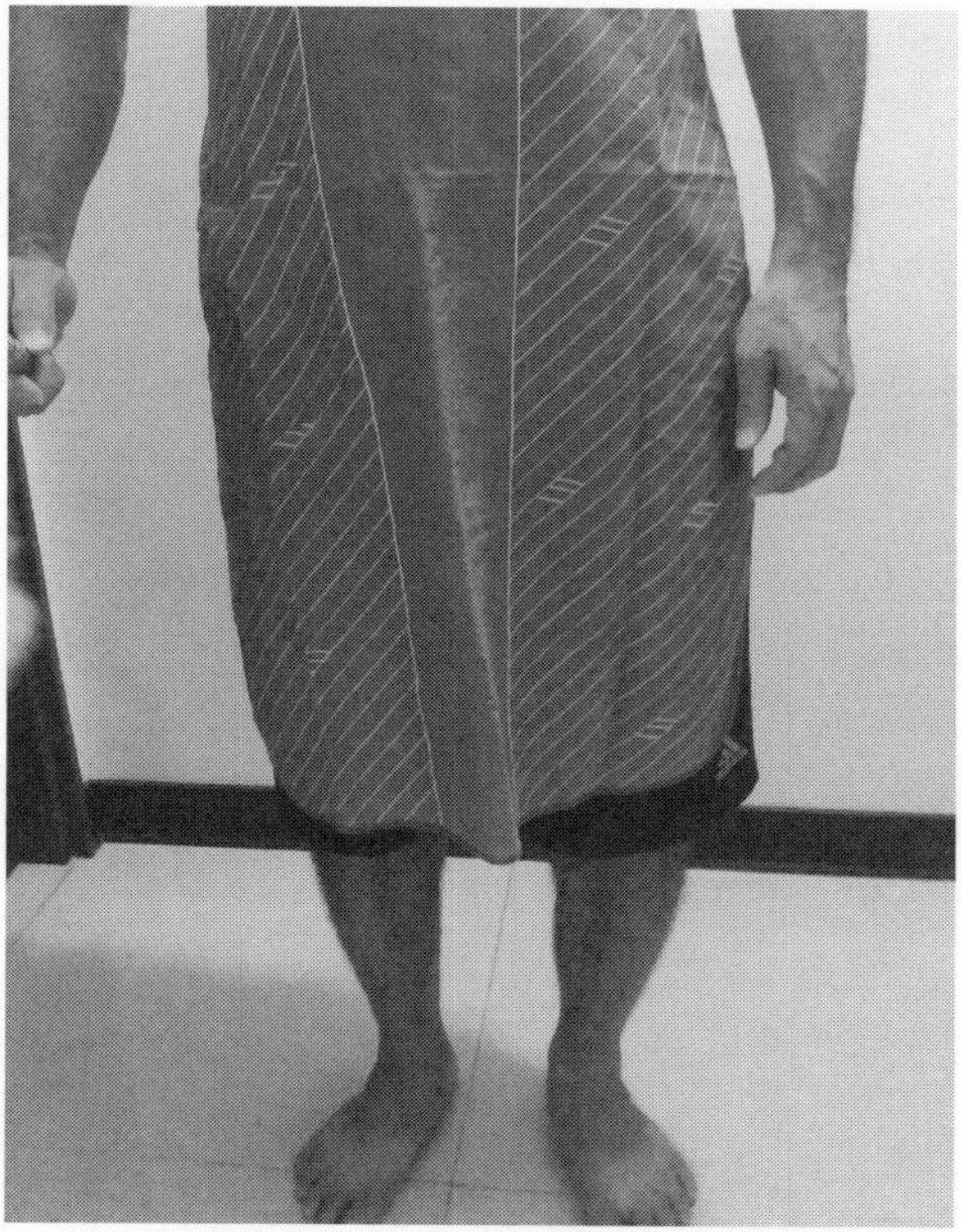
おじさんの裸エプロンは想像しないでください!

「さ」をまずは一口

料理の基本は、「さ（砂糖、酒）・し（塩）・す（酢）・せ（醤油）・そ（味噌）」の調味料をうまく使いこなすことです。その中でも注目すべきは、筆頭の「さ」。ちなみに、この場合の「さ」は砂糖の「さ」ではなく、断然、酒の「さ」です。塩や醤油で味付けをする前に酒を加えて、肉を柔らかくします。

しかし、私がここで提案するのは、料理を始める前の「さ」です。料理直前に、湯飲み茶わんになみなみと日本酒を注ぎ、まずは一口。これで私の頭は柔らかくなり、いろんな思いつきの冒険料理が可能となります。

こちら台湾では、日本酒はあまりいろいろな銘柄が手に入らないので、現在はワインを使うこともよくあります。アルコールが全身にほどよく回ると、ジャッキー・チェンの酔拳よろしく体がよどみなく動き、まるで一流料理人になったような気分に。

料理をしていると、下ごしらえから片づけまで立ちっぱなしで、普通なら結構疲れるも

のです。しかし私の場合、あまり苦にならないのは、体に染み込ませたこの調味料「さ」の隠し味がほどよく効いているからだと確信しています。

さて、料理に日本酒を少々……。あれ？　この湯飲み茶わんの酒、さっき料理に入れた？　それとも体に入れたんだっけ？

ちょっと呑みすぎました……

食卓の賑わい

男料理はなんか殺風景です。一品料理、どんぶり料理。頑張って作ると、メイン料理が二品になってしまうことも。ピッチャーで四番打者ばかりの野球チーム、エースストライカーばかりのサッカーチームみたいな……？

そこである週末、思い切ってメインではない料理を中心に作ってみました。塩揉み、三杯酢、おひたしなどなど。すると、なんと食卓が賑やかなことか。九番ライトやセンターバックがしっかりと〝食卓〟というチームをまとめています。酢の物などは今まであまり好んで食べませんでしたが、こうしてしみじみ味わう

家の近くにある牛肉麺のおいしい店。台湾では小菜《シャオツゥアイ》（小皿の一品料理）の充実した店が人気店の必須条件

となかなかオツなものです。枯れ木でさえも山の賑わいであることに気づかされました。

かつて家族と暮らしていた時、なんとなく食卓に出された「食物《しょくもつ》」を当たり前のように食べていましたが、妻なりに気を使ってバランスのいい料理を考えていたんですね。今さらながら頭が下がります。感謝！

拝火教ｉｎキッチン

正月くらい豪華にすき焼きを食べよう！（旧正月ではないので、こちら台湾では盛り上がっていませんが、日本人としてのけじめは必要です）

本来なら茶の間で調理しながら食べたいところですが、単身赴任の男所帯ゆえ、気の利いたカセットコンロなど持っていません。よって、キッチンのガスコンロで調理。

いつものように、食材を広げる前に、まずは酒を一口。肉、野菜などの下ごしらえができたら、さらに酒を一口。材料を鍋に放り込んでいるうちにいい匂いがしてきたので、焼けた肉もその場で一口。

「うまし！　茶の間に持って行くと冷めてしまうので、ここで食べるか」

料理中に飲んだ酒の量がいつもより多かったので、既に出来上がってしまい、動くのが面倒くさい。

椅子を持ってきてキッチンのガスコンロの前に陣取り、本格的に食べ始めました。椅子

お店の前で紙銭を燃やしお祈りをしている光景をよく目にします。みんな何を願いながらお祈りしているのでしょうか。商売繁盛？　家庭円満？　台湾の未来？　世界平和？

はキッチン用のものではないので、ちょっと低い。すると、コンロの火がちょうど目線の高さに。

「おお、これはいい！」

炎を見ながらの食事もなかなかオツなものです。アルコールが入っているので、あれこれと余計なことも考えたりします。去年起こったいろいろな出来事、家族のこと、これからの仕事の段取り、日本の未来、世界平和……。他愛もないことに考えを巡らしていると、ガスコンロの炎がいちいち頷いてくれているようで、ついつい長々と心の中で話しかけてしまいました。

……おっといけない、肉が焦げる。食わねば！　飲まねば！

味の足し算・引き算

台湾でのとある忘年会にて（もちろん旧暦）、現地の台湾人の皆さんと、大きな円卓を囲んで会食。いつものように、言葉が通じなくても酒の勢いで、なんかわかり合ったような気分になって大盛り上がり。飲んで食って、飲んで食って……。

そしてなんと、こんなにたらふく食べたあとに、さらに果物のデザート。義理でも食べねば……と、私は果物の皿に手を伸ばしました。よく見ると、切ったスイカの脇に砂糖が置いてあるではありませんか。

「砂糖はかけないよね」

と、隣にいた日本人の同僚に言いながら、スイカをそのまま頬張りました。すると、それを見ていた親切な現地の台湾人が、砂糖をかけてくれようとするのです。「結構、結構」と手を振ると、なぜ砂糖をかけない？　と驚きの表情。

「冬のスイカは甘くないぞ」

と言うのです。

「日本人なら塩をかけるのにね！」

と言いながら、世紀の大発見をしたように、お互いに顔を見合わせた私たち日本人でした。

台湾では宴会の締めはやっぱり果物。たとえ冬でも、何がなんでも果物。でも、砂糖をかけてまで食べなくてもよいのでは？
（写真は砂糖が入ったオシャレな小袋）

味付けのスタンダード

1年ぶりに件《くだん》のラーメン屋に行ったら、既に八角は入っていませんでした。八角入りラーメンはもはやラーメンでないことに気づいてしまったらしいのです。残念！

台湾料理には「八角」という食材が欠かせません。多くの料理に入っています。最近、台湾では日本のラーメンが流行っていますが、こちら台南の場末のラーメン屋では、うっかりするとこの八角が当然のようにラーメンに入っています。久々の日本の味にありつけたと思いきや、この八角の香りに私の夢はもろくも砕かれてしまいました。「台湾風ラーメン」、いや「ラーメン風台湾料理」といったほうが正しいかもしれません。

しかし、よく考えてみるとこれはすごいこ

とです。とにかく八角を料理に放り込めば「台湾風」になってしまうのですから。生前、年を取ってどんなによろよろになっても「十六文キック」さえ出せばジャイアント馬場であることが証明されたようなもの、この必殺技さえあれば大丈夫。

翻って、日本の料理を眺めてみるとどうでしょう。味噌、醤油、みりん、昆布、鰹節などは、日本料理の味付けを決める調味料の代表的なもの。日本料理の場合は、台湾料理における八角のような必殺技を使うのではなく、「全体的な組み合わせと、作る工程で勝負」といったところでしょうか？　今ひとつはっきりしないけれど、なんとなく日本人の特徴を表しているような……。

五感を研ぎ澄ませ！

またやってしまいました。冷蔵庫にしまっておいた料理から、微妙な匂いが……。

面倒くさがりの私は、週末に料理を一週間分作り溜めして、鍋のまま冷蔵庫に放り込んでおくのが習慣になっています。しかしそれが災いして、ときどき明らかに料理に異変を感じることがあるのです。台湾では、特に夏はこの手のトラブルの発生回数が多くなります。

日本にいた時のこと、妻はたまに冷蔵庫の中をごそごそとあさり、何かを取り出して一生懸命に匂いを嗅いでいることがありました。取り出した食べ物に鼻がくっついてしまうほど近づけて匂いを嗅いでいる様は、まるで犬並み。そしてそのあと必ず私に、

「ねえ、これまだ大丈夫かな?」

と聞いてきますが、これは遠回しに、「あんた、試しに食べてみて！」という合図なのです。しかし、私もわが身が大切なので、

「危なそうなら捨てればいいじゃないか」

と抵抗すると、

「だって、もったいないじゃない」

と妻は未練がましく言ったものです。

そして今、自分で料理を作る立場になると、やっぱり捨てるのがもったいなく思えてしまう。ちょっと異変を感じると、五感を総動員して判定を下します。まず、鍋の蓋を開けた時の匂い、汁の濁り具合、微妙な色の変化などをよく観察し、第一段階をクリアすると、今度は味覚。酸っぱいか？　苦いか？　いつもと違う味か？　それはまるで人間センサー。

台南市の観光名所のすぐ近くにある人気のカレー屋。でっかい鍋でじっくり煮込んでいます。この鍋のカレーは何日目？

思い起こせば、私と腐敗との闘いは学生時代までさかのぼります。下宿で初めて自分でカレーを作った時のこと、一日目より二日目、二日目より三日目と、だんだんカレーが熟成しておいしくなることを発見しました。そして四日目にはものすごくおいしくなっていたので、ちょっと残しておいて明日また食べようと欲を出しました。しかしその次の日、鍋の蓋を開けたら……すでに腐敗していたのです。熟成と腐敗は紙一重だということを学びました。

日本の納豆や台湾の臭豆腐を発明した先人は、つくづく偉いと思います。異変があっても捨てないで、これほどおいしい食材にまで昇華させてしまうのですから。

ゴボウの味わい方〝運命〟

台湾のスーパーマーケットの店頭には、ゴボウが当然のように並んでいます。私は、この野菜は日本だけで食べられる食材だと思っていたので、台湾で初めて見かけた時にはいたく感動したものです。ゴボウがあれば日本の伝統料理「きんぴら」だって作れます。不安でいっぱいの台湾生活に、一筋の光明を見出した思いでした。

ネットで調べたところによると、台湾は、ゴボウを食用にしている世界でも数少ない国のうちの一つ。これを知った時は、赴任地が台湾でよかったとつくづく思いました。

ゴボウは手軽な「涼拌《リャンバン》料理」の食材として人気。味付けは日本の「きんぴら」に似ています。

ゴボウ独特の食感。これはほかの食材ではなかなか味わえません。ゴリゴリと噛むたびに頭蓋骨に響く歯ごたえ。「食ってる！」と実感させてくれる食材です。台湾の人たちもゴボウを食べながらこの歯ごたえを楽しんでいるのかと思うと、なんだか親近感が湧いてきます。

音楽の巨匠ベートーベンは聴覚障害があるために、口にくわえた指揮棒をピアノに押し当て頭蓋骨に響かせて音を聞き分けていたそうです。一方、自他ともに認める味音痴の私も、ゴボウを食べている時はベートーベンのように骨伝導の原理を利用して、ゴリゴリと頭蓋骨でおいしさを味わっています。おいしくて、食べたあとは思わずため息が出てしまいます。

「うんめー！」

酒飲みの科学

酒飲みはどうしてしょっぱいものが好きなんでしょうか？　塩辛、明太子、塩昆布……体に悪そう。それだけではありません。脂っこいもの、刺激の強いもの……酒が進みます。こちら台湾でも酒の肴には、からすみ、豚足、シジミの醤油漬け……あー、よだれが出そう。でも、こんな食生活を続けていたら、確実に寿命は短くなるでしょう。

それにしても、酒を飲み始めるとなぜ、こんなに不健康なものを体は欲するのでしょうか？　ナトリウムイオンを補うため？　アルコールの分解に必要なエネルギー補給のため？　調べてみると科学的な理由はいろいろあるようです。私はてっきり、自分がだらしないからだとばかり思っていたのですが、そうじゃないんですね。これは人類の宿命。

日本にいた時は、夕食の前にプシュ―ッと缶ビールの蓋を開けるたびに妻から、

「自分の体のことは自分でよく考えてね！」

と釘を刺されたものです。しかし台湾に来てからは、夕食前にビールや酒を飲むことが

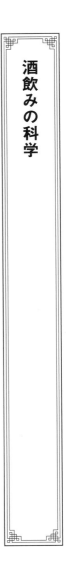

確実にルーティーンになってしまいました。

最近はともすると、妻の監視がないのをいいことに、休日は昼間から一杯。これは単身赴任者の宿命でしょうか？　科学ではどうにも解明できないようです。

行きつけの店でメニューを見ながら何を食べるか迷っていたら、「まずはビールですね？」と店員さんに先手を打たれてしまいました。どうやら、こちらの弱みを心得ているようです。油断も隙もあったもんじゃない。

乾杯競技会

私の大好きな台湾の宴会。一人でちびちび飲んじゃダメ、必ずほかの人と目を合わせて乾杯。「カンペーイ（乾杯）！」と言ったら、一滴も残さず本当に乾杯。初めて会った人とは、乾杯を三回、「三杯《サンペイ》」。結構面倒くさいけれど、ばかばかしくて面白い。これは一種の競技です。今日も全力を尽くして頑張ります！

会社では、台湾人の社長と仕事の意見が対立して、しばしば激しい議論。でも、アルコールが入ったら難しい仕事の話はしない。宴会場ではノーサイド。

この台湾料理おいしいなぁ、なんて味わっていられるのは最初のうちだけ。飲んで飲んで、食って食って、飲んで飲んで、また飲んで。当然ながら、このまま続けていたら、料理もビールも物理的に胃袋に収まりきらなくなります。宴会の途中からはトイレとの往復。胃の中を空っぽにしたら再び宴会場へ、いざ突撃！　一回の宴会でいったい何回、宴会場とトイレを往復することでしょう。

朝起きた時はいつも後悔。「もう一生飲みません」。心に誓うのですが、宴会になると、つい闘志に火がついてしまうのです。売られた乾杯は買わねばならぬ！

そして宴会が終わる頃には、いったんは胃の中に納まったおいしい台湾料理と大好きなビールはすべて便器の中に。次の朝は頭痛と空腹で目が覚めます。

「今月は宴会が多かったから飲みすぎたな。でもなぜか、ちょっとやせたみたい」

それはそうです。料理で満腹になっても、その都度、胃の中をアルコール洗浄して空っぽにしているのですから、当然といえば当然。

かくして、健康には自信のあった私の体にも最近、異変が起こっています。台湾に来てから二年目の人間ドックで、尿酸値がついに危険領域に達してしまいました。これは大変なことです！

検査後、初めて開催された会社の宴会では、飲酒を自粛しようと決めました。いつもだったら勢いよく「カンペーイ！」と言うところですが、私一人だけ小さな声で「スイー（随意＝ちょっとだけ）」と言ったら社長にバレてしまいました。

「どうしたんだ？」

「尿酸値が高いので、ドクターストップがかかりまして……」

「なに、尿酸値７・３？　ぜんぜん低いじゃないか。俺は13だ！」

毎朝、太極拳をやっているから、尿酸値が高くても大丈夫なんだそうです。本当かなぁ……？（ちなみに、尿酸値の正常範囲は３・７～７・０mg／dl）

中華風味

ここは日本、横浜中華街。帰国した時のお話。

「これは中華料理じゃないね」

台湾から遊びに来た友人は、違和感を口の中いっぱいにためながら、〝不思議〟な料理を咀嚼していました。

「ウソでしょ！　これぞ横浜が誇る本場中華街の本物の中華料理じゃん。おいしいじゃん！　……まぁ、あれだ、中華風味の和食と思って食べてください」

自信満々で案内した手前、私は苦し紛れの言い訳をして、かろうじて日本の中華料理の面目を保ったのでした。

かつて台湾で暮らしていた時には、日本式料理屋で出された料理が私をちょくちょく幻滅させたものです。それと同じで、もしかしたら日本の中華料理の多くも、台湾人や中国人をがっかりさせているのかもしれません。横浜中華街の中華料理でさえもこうなんですから。

インド人にとっても、日本のカレーライスは噴飯ものであることは容易に想像ができます。ましてやビーフカレーなどといったら、それこそどうしましょう……。しかし、カレーライスはすでに老若男女が愛する日本人の国民食になっています。

八角が入っておらず、辛すぎず、脂っこくない中華料理も、間違いなく日本人が愛する日本の味、国民食です。何か文句ある？（誰に言ってる？・？・）

台南市内の行列ができるラーメン屋。日本で手に入れたと思しき看板を掲げて本場仕込みをアピール。本場日本の『中華そば』……ん？　まあいいか、これぞ出藍の誉れ！

Ⅱ

パパのママチャリ

ママチャリ誕生

週末には一週間分の食料を買い込みます。スーパーマーケットはそれほど遠くない距離にあるのですが、さすがに大量の食料品を手にぶら下げて歩くのはしんどい……。スカ○プで妻に愚痴を言っていたら、妻の隣で聞いていた娘が、

「お父さん、自転車を買えば？」

と助言。

「そうか、なるほど！」

かくしてパパは、ママチャリを買うことになったのです。

ジャイアント社（※）のママチャリ。これさえあれば、どんな買い物をしても大丈夫！布団だって、扇風機だって運んじゃえます。

買い物だけでなく、ちょっと観光に出かけるにも、このママチャリが大活躍しています。

会社の方針で台湾国内での自動車の運転は禁じられているので、自転車は今や、なくては

このママチャリと、これからいっぱい台湾の思い出をつくるぞ！

ならない台湾生活の必須アイテムとなりました。このママチャリのおかげで、行動範囲がうんと広がったのです。

「自転車に乗ったら、どこまで行けるんだろう？　地面が続いている限り、どこまでも行けるんじゃないのかな？」

自転車に乗れるようになった幼き日、子供心に冒険心を燃やしたものです。そのうちに台湾一周できるかな？

※ジャイアント社：世界的に有名な台湾の自転車メーカー

台湾鉄道に乗ろう

「台湾一周なんて、大げさな！」と思う人もいるかもしれませんが、台湾は自転車野郎にとって天国なのです。自転車を台湾鉄道の車両に乗せれば、ずっと離れた場所でもサイクリングが楽しめます。

電車に自転車を持ち込む場合、日本では分解して袋にまとめて手荷物にしなければなりませんが、ここ台湾ではそのまま持ち込めるのです。これならわが愛車のママチャリとともに台湾をぐるっと一周見て回ることも夢ではありません。

最初は自転車を転がしながら駅の構内を歩くのがちょっと恥ずかしかったのですが、ホームでスタンドを

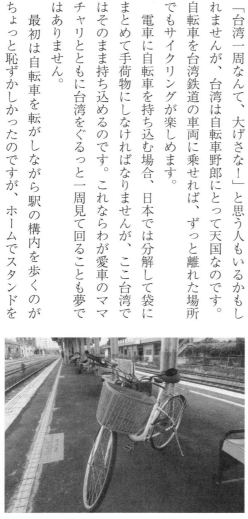

切符売り場で「○○駅まで自転車と一緒にお願いします」と言えば、大人用の切符と自転車用の切符を出してくれます。電車の乗り降りの時も親切に駅員さんが案内してくれます。

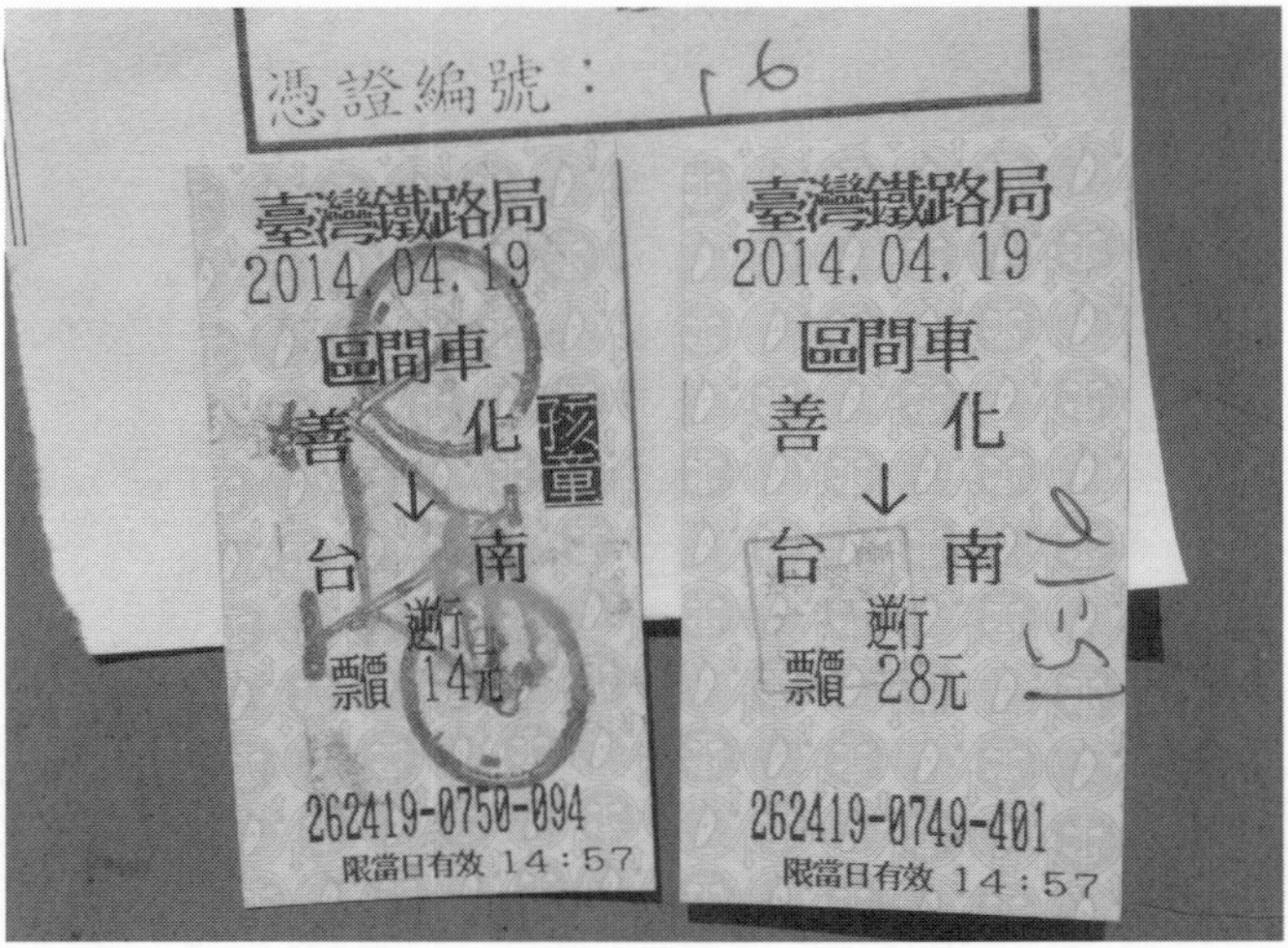

立てて一緒に電車を待っていると、自分のママチャリが何ともかわいらしく思えるから不思議です。かわいいペットと一緒にいるような感じ。

多くの人はカッコいいサイクリング車かマウンテンバイクを持って、颯爽と電車に乗り込むのですが、私はもちろんママチャリ。ちょっとダサい？　でも、これだけ愛着がわくと、買い替えるのはもはや無理です。これからもこの愛車で、ちょっとそこまで買い物に行くような気軽な感覚で、台湾を見て歩くことにします。

山上の名湯

――關子嶺温泉

今まで鉄道とママチャリを駆使して一番遠くまで行ったのは「關子嶺《かんしれい》温泉」。台湾では昔から有名な温泉街です。

ママチャリとともに台湾鉄道に乗り、車窓から東の方角を眺めると台湾山脈の中腹にうっすらと街景《まちかげ》が見えました。あれが關子嶺温泉。あんな山の上まで行けるのだろうか。今から不安でいっぱいです。

そうこうしているうちに最寄りの新営駅（台南市北部）に到着しました。準備運動をして気合を入れて、いざ出発。いくつもの田舎町を通り過ぎ、延々と続く田んぼやサトウキビ畑の中を快調に飛ばしました。そして、最後は高低差約百メートルの上り坂を歯を食いしばり大汗をかきながらひたすらママチャリを漕いでやっとのことで關子嶺の温泉街にたどり着きました。

早速、事前にリサーチしておいた人気の温泉宿へ（日帰りですが）。売店で水着を購入

街全体がどことなく日本の温泉街の風情。癒されます。でも、ちょっと旅館の雰囲気があか抜けすぎていて、おじさんには入りづらい。

して、いざ入浴。水着で入らなければならないので、日本人にはちょっと違和感があります。温水プールにでも入りに来たような錯覚に。でも、体の芯まで癒されました。
しかし、台湾で温泉に入れるとは、日本にいた時には想像もつきませんでした。ちょっと不思議な感じ。お湯につかりながら、「思えば遠くへ来たもんだ♪」とつい鼻歌を歌ってしまいました。日本人ってなんでこんなにお風呂が好きなんだろう。
ところで、ここ關子嶺温泉は美肌の湯として有名な「泥湯」。お湯そのものはサラサラしていますが、沈殿した泥が湯舟の底にうっすらと堆積しています。女性のお客さんたちはきゃあきゃあ言いながら、お尻の下から泥をかき集めてほっぺに泥パックをしていました。たぶんほかのお客さんの垢も蓄積していると思いますが……。(※)
さて、行きは心臓破りの厳しい上り坂でしたが、帰りはその逆。来た道を猛スピードでまっしぐらに走り下りました。火照った体を冷ましながら……。それにしても、下り坂ってなんて快適なんでしょう！　そう、人生の下り坂だって捨てたもんじゃないハズ……きっと。

※湯舟脇にはパック用の泥が用意されていますが、すぐに品切れとなってしまいます。

太鼓集団『十鼓擊樂團』

むかしの製糖工場の建屋の中に設営されたコンサート会場。演奏が始まるまでのワクワク感がたまりません。

ブラボー！　ブラボー！　なんだかめちゃくちゃカッコいい！　血沸き肉躍る迫力の太鼓！　彼らは『十鼓擊樂團』。台南を本拠地にしている太鼓演奏集団です。

ここは台南市の街はずれ、家からママチャリでたったの一時間弱のところにある、台湾太鼓の聖地、十鼓仁糖文創園区。二〇〇五年に、十人の太鼓演奏集団が、今はもう稼働していない古めかしい製糖工場の敷地全体を太鼓のテーマパークとしてよみがえらせました。なぜこんな場所で太鼓を演奏するのかはわかりませんが、レトロな製糖工場と太鼓の演奏が妙にマッチしています。台湾人のこういったセンスの良さは抜群です。

それにしても、この太鼓の演奏の仕方はどこかで見たような気がします。そう、日本の和太鼓集団『鬼太鼓座《おんでこざ》』とそっくり。しかし、本人たちに聞くと、

「違う、これはれっきとした台湾の伝統的な太鼓。私たちはオリジナルだ」

と言います。まあ、その真偽などどうでもよくなってしまうくらい迫力満点です。皆さんも一度でいいから聞いて……、いや、体中で感じて味わってみてください。絶対とりこになります！

この太鼓集団を知ったきっかけは、台南市内のとあるスナックでのアルバイトのお姉さんとの会話。

「わたし、こんどフランスに行くよ」

「いいねぇ、観光？」

「公演しに行くの。ちょくちょく外国に招待されるんです。わたし、アーティストなの」

「えぇー、あんた、すごい人なのね？」

「毎日、製糖工場で太鼓叩いているから観に来てね」

そう、彼女は十鼓撃樂團の草創期からのメンバーだったのです。

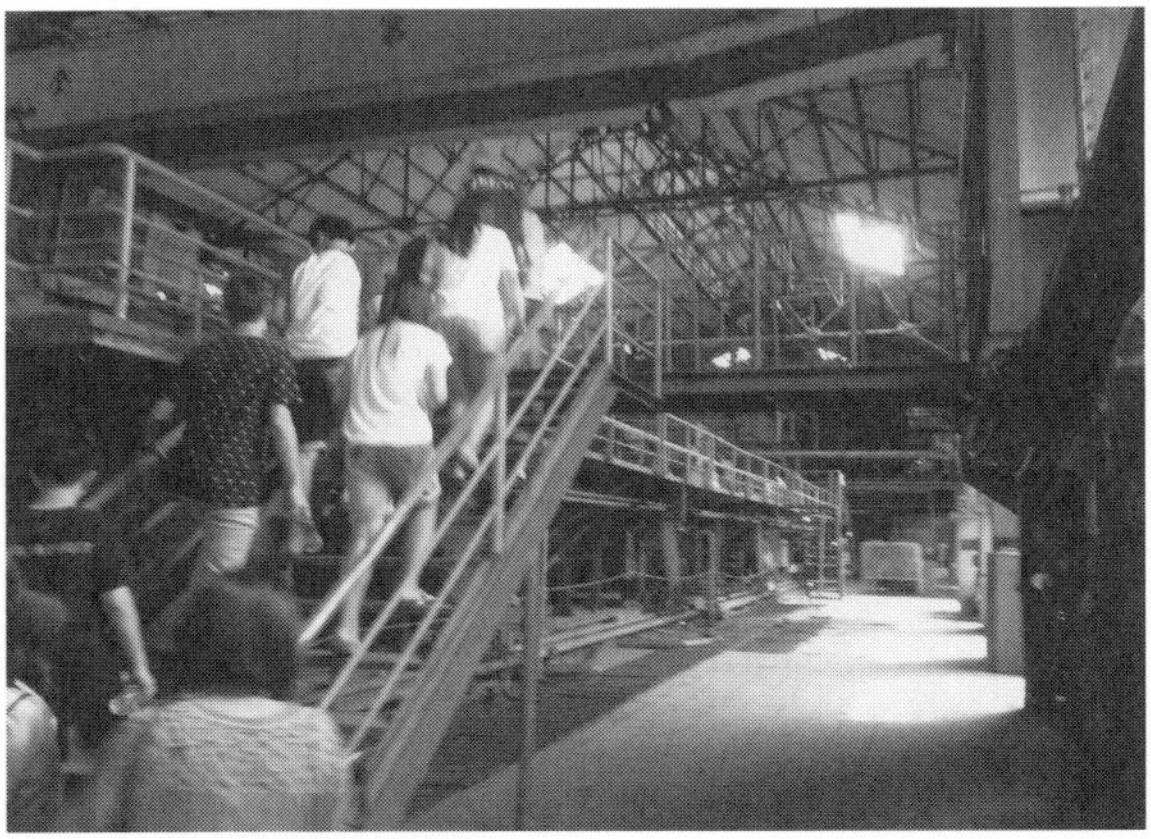

コンサート以外にもガイドさんが案内してくれる園内ツアーが充実しています。

微笑みのマンゴー

台湾の生活にも慣れた、ある週末のこと。「そうだ、玉井（台南市）に、名物のマンゴーを食べに行こう！」と思いついたのです。

季節は夏真っ盛り。ママチャリに乗って、炎天下の山道を往復八時間。台南市街から約四十キロ離れた玉井盆地を目指します。退屈な風景に飽き飽きしながらも、次第にきつくなる上り坂を、あえぎあえぎやっとのことで峠にたどり着きました。

すると、峠の反対側の斜面には一面にマンゴー畑が広がっていたのです。収穫の時期ということもあり、あちこちで作業している人たちの表情も嬉しそう。山の表情も、これまでの殺風景な景色と違い、にこやかに笑っているようです。

さて、玉井の市街地まではもう一息。でも、ここからはひたすら下り坂です。あー、楽ちん。

かくして、やっとのことで目的地にたどり着きました。玉井はマンゴーの名産地だけ

玉井のマンゴー市場。すごい！　マンゴーだらけ。無造作なマンゴーの山。

あって、市場はまさにマンゴー一色。こんなにいっぱいのマンゴー、生まれて初めて見ました。しかも、めちゃくちゃ安くてびっくり。でも一山単位の販売なので、私のママチャリの籠には入りきりません。仕方なく、市場の屋台で売っているマンゴーかき氷を目いっぱい胃袋に収めて帰ることにしました。山盛りのマンゴーかき氷、冷たさと甘さが全身に染み渡りました。

　さて、家に帰るためには再びつらい峠越えをしなければなりません。憂鬱な気分でママチャリを漕いで帰路を急ぎました。ところが、途中で思わぬ出来事が……。山道に差しかかる手前の農道で、軽トラックとすれ違いました。すると、荷台に山と積まれたマンゴーのうちの一つが、コロコロとママチャリの前にころがって来たのです。真夏の太陽をいっぱい浴びた真っ赤なマンゴーが自転車を漕いで真っ赤に日焼けした私の顔を覗き込みながら「同じだね」と微笑みかけているようでした。

発見、湯源郷《とうげんきょう》 ——亀丹温泉

ママチャリで往復八時間かけて玉井まで行ってきた数日後、しみじみと地図を見ながら反省会。

「疲れたなー。でも、楽しかったなー。……あれ？」

改めて地図を見ると、玉井のすぐ近くに温泉マーク（♨）が……。これは、行かねば！

体力の回復を待って、玉井行きの一ヵ月後にアタック。その名も亀丹《グイタン》温泉。しかし、ここは一軒宿の民宿が経営している温泉なので、關子嶺温泉と違って気の利いた温泉街などありません。

玉井から先は、台湾のどこにでもあるような山沿いの殺風景な道です。本当にこんなところに温泉なんかあるんだろうか……と不安を抱きながら三十分ほどひたすらママチャリを漕いで進むと、忽然と温泉宿が現れました。

立派な門をくぐるとすぐにいくつもの露天風呂があり、入浴客で賑わっていました。売店で入浴料（三百元）を払い、シャワー室で水着に着替えて、さっそく入浴。關子嶺温泉より全体的に粗野ですが、全部露天で広々しています。日よけのためのあずまやが日本の露天風呂の造りに似ていて雰囲気もいい。この感じ、気に入りました。熱い湯舟、ぬるい湯舟、水風呂と各種そろっています。

のどかで雰囲気のいいこの温泉で、のんびりゆっくりぬるま湯につかっていると、身も心も溶けてしまいそう。でも、油断しちゃいけません。この温泉にはちゃんとしきたりがあるのです。こっちの湯舟からあっちの湯舟へとハシゴする時、違う湯舟に入る前には毎回必ずかけ湯をしなければなりません。私はそんなこととは知らなかったので、どの湯舟にもじゃぶじゃぶ入っていたら、民宿の主人にこっぴどく叱られました。日本統治時代のしきたりがちゃんと残っていたのです。

ここは農園も手広くやっているようで、従業員（といっても、お父ちゃん、お母ちゃん、息子に娘、ほか二、三人のおばちゃん）が民宿と露天風呂の間の空き地に店を広げ、採ってきた野菜を天日干ししたり選別したりしています。なんとのどかな光景でしょう。この温泉宿はまるで桃源郷のようです。

しかし、こんなにステキな温泉でも、ママチャリで往復九時間もかかるのでは頻繁には

いきなり現れた大きな看板と和風な門構え。敷地内への入場はフリーパス。売店で日帰り入浴を自己申告（性善説で運営しています、たぶん）

行くことができません。何とか楽をして行ける方法はないものか……。

脱ママチャリ！

市営バスを乗り継いで行く方法を見つけました。一日三便。帰りの最終バスに乗り遅れると大変です。温泉を堪能した後、予定時刻より早めに最寄りのバス停に来てぼーっとしていると家族連れの乗用車が目の前に止まりました。

「亀丹温泉知ってるかい？」

「こっちだよ（下手な中国語）」

「おまえ、日本人か？　なんでこんなところに日本人がいるんだ！」

たいそう驚いていました。そう、この温泉宿は台湾人の間でも知る人ぞ知る穴場の民宿なのです。

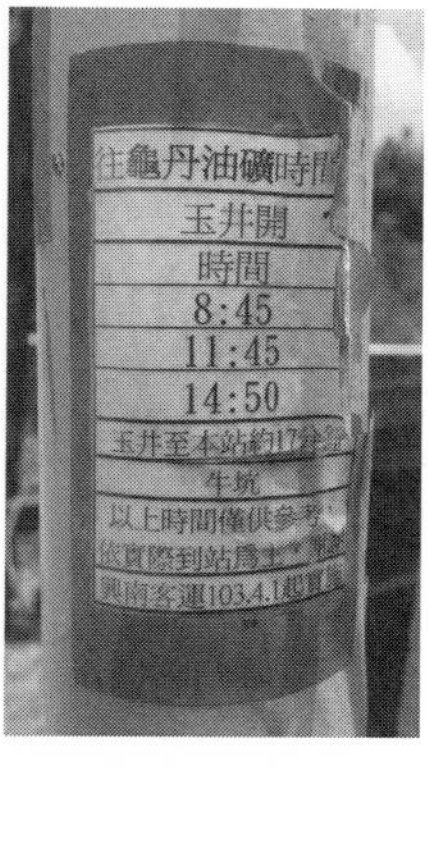

ド〇キもびっくり！　農産物卸売市場

台南市総合農産物卸売市場、私の家からママチャリで約二十分。ここに来ると、旬の野菜や果物を思う存分に買うことができます（卸売市場ですが一般客にも開放しています）。広大な敷地に大きな屋根の建物が何棟も建ち並び、あちこちで威勢のいい売り子の声が飛び交っていて、とっても活気があります。ひとりぼっちの週末を過ごす単身赴任者の私を励ましてくれているような気がして、心がうきうきしてくるのです。

売っている果物の種類は、スイカ、パイナップル、マンゴー、パッションフルーツ、グァバ、ライチ、蓮霧《レンブ》……と出回る商品が次々に変わり、季節の変化が実感できます。今年はパッションフルーツのおいしさを再発見した年でした。旬の時期のおいしさはため息が出るほど。あー、また来年も食べたいなー（その前に帰国命令が出なければの話ですが……）。

広大な敷地の半分は農産物の市場ですが、残りの半分は、まるで夜市。手作り食品、雑

どんな店があるか見て回るだけでもたっぷり2時間はかかります。試食をして回ればお腹もいっぱい。でも、相手の方が一枚上手。ついつい買い過ぎちゃいます。

貨、衣類、屋台めし屋などなど、広大な敷地にもかかわらず、ところ狭しと店が並んでいます。むしろ敷地が広い分、夜市をはるかに凌駕しています。

時折、鳴り響くぽん菓子の爆発音。なぜか女性下着売り場で実演販売をしている男の老板《ラオパン》（店主）。おばちゃん客でいっぱいの脱毛エステ店。行列のできる牛肉湯《ニューロータン》（牛肉スープ）の店。配置もバラバラ、奔放で無計画な感じが実に台南らしくてステキです。揚げ物屋の隣に服屋さんがあるなんて当たり前。油の匂いが移ったって気にしない。

日本のド○・キホーテもまだまだ手ぬるい。ド○キに集うヤンキーの皆さんにもぜひ、週末この卸売市場に足を運んでもらいたいものです。病みつきになること間違いありません。

ついつい買いすぎて、帰りのママチャリの大きな籠は今日もいっぱい。愛車がサイクリング車でなくてよかった。

烏山頭ダム湖畔に座る八田與一。台湾では今も多くの人から尊敬されています。

むかしの人は偉かった

——烏山頭ダム

一昨年（二〇一五年）は秋から春先にかけて全く雨が降らず、台湾各地で深刻な水不足となりました。昨年もあちこちで給水制限が発令されました。今年も心配だなぁ……。

多くのダムがある現代でさえこうなのですから、昔の台湾の農民の皆さんは、さぞかし心細かったことでしょう。

烏山頭《うさんとう》ダム。日本統治時代に台湾各地に作られた建造物の中でも代表的なもの。嘉南《かなん》平野の水がめとして作られた大規模なダムです。このダムを設計し、建設の指揮を執った日本人、八田與一《はったよいち》は、どんな気持ちでこの事業を成し遂げたのでしょうか。烏山頭ダムの畔《ほとり》にある記念館に展示された資料や残された記録を見ると、彼は台湾の人々に恩恵をもたらすことをひたすら願いつつ、エンジニアとして力の限りを尽くしていたことがわかります。私もエンジニアの端くれ、與一の生き方に大変感動しました。

私の場合、世の中の皆さんを幸せにするような立派な仕事はできませんが、せめて心意気だけでも学ばせてもらいたいと思い、烏山頭ダムへはこれまでに何度も足を運びました。わが愛車のママチャリで、台南市北部にある新営駅から、嘉南平野をひたすら南下し、途中、ダムや資料館を見学。そしてさらに南下して、台南市街のわが家まで。漕いでいる時間は約五時間。

途中、八田與一が嘉南平野に張り巡らした用水路を何度も横切ったり並走したりしながら、嘉南大圳《たいしゅう》（※）の規模の壮大さを実感しました。八田與一の偉業を体全体で味わえる至福の五時間でした。

※嘉南大圳：烏山頭ダムだけでなく、嘉義から台南に広がる広大な平野一帯に網の目のように張り巡らせた用水路などを含めた灌漑設備全体

ダムだけでなく、広大な嘉南平野に用水路を網の目のように張り巡らせた大事業。その規模の大きさは気が遠くなるほどです。

昼めしは漁港に行こう
——高雄・興達港

「今日は天気もいいし、久しぶりに漁港に行って昼めしを食べよう！」

日曜日の朝、急に思い立ち、愛車のママチャリを飛ばして台南市をひたすら南下。台南市自慢の風光明媚な「黄金海岸」の景色には目もくれず、食い意地だけを募らせて、海岸沿いに自転車を漕ぐこと二時間。台南市の市境を越えて高雄市に入ると、じきに漁港が見えてきます。

ここは高雄市茄萣区にある興達港《シンダーガン》の魚市場。土曜、日曜は屋台がいっぱい軒を連ねています。丸ごとそのまんまの巨大な魚、魚介類のフライ、マグロの刺身、それに

台南市民なのに高雄市のなわばりを荒らしてすみません。でも高雄市街より台南市街からのほうが断然近いので仕方がありませんよね。

生きた蟹やエビも、ところ狭しと並んでいます。これでもかというほどに海産物であふれかえっている様は、まさに壮観。試食をしながら歩いていると、みんな買いたくなってしまいます。

しかし、ここは台湾。真夏の強い日差しが燦燦と降り注ぐ炎天下を、このあと自転車に乗って帰らなければなりません。食べきれない料理を持って帰るのは、ちょっと危険かも。無理をしてでも、買った料理は全部ここで食べて帰ろう。牛のように胃袋がいくつもあれば、いろんなものをたらふく食べ比べできるのに、残念です。

最後に、私の大好きな塩ゆでのイカと、キンキンに冷えたビールを購入。ベンチに腰掛け、波に揺れる漁船を見ながら昼間から一杯。台湾ビールと私の二人だけ……。ロマンチックだなぁ。

花のトンネル

――白河林初埤木棉花道

旧正月休みが終わり、台南にも春の暖かさが戻ってきました。今年もママチャリシーズン到来です。わが愛車を台湾鉄道に乗せて、台南市北部の新営駅に降り立ちました。

今回のママチャリ旅行の目的地は、私が台湾に来たばかりの頃に買った古い地図で見つけた「玉豐（豊）緑色隧道」というビュースポット。緑色隧道とは「緑のトンネル」という意味だそうです。鬱蒼とした樹木のトンネルが目に浮かびます。目指すは台南市白河区の街はずれ。

途中、お昼も過ぎておなかがすいたので、たまたま見つけたお店へ。地図には「美食○○便利店（コンビニ）」と書いてありますが、どう見ても〝よろず屋〟。店に入ってみると案の定、食料品は大したものは売っていません。仕方なく、あまり腹にたまらなそうな地味なパンを手に取り、下手な中国語で店のおじさんに値段を尋ねると、

「おっ、あんた日本人？　この先の木棉《もめんか》花を見に来たの？」

「えっ、そんなのが咲いているの？　教えてくれてありがとう」

思いがけず貴重な情報をゲット。せっかくなので、早速、教えてもらった場所に行ってみました。

そこにはなんと満開の木棉花。延々と続く並木道を歩いていると、まるで夢を見ているようです。異国の地で、こんな片田舎に日本人はポツンと私一人だけ。でも、花を愛《め》でる気持ちは、台湾人も日本人もいっしょ。カップルや家族連れで木棉花を鑑賞している人たちは全く赤の他人だけど、この空間を通して心が通じ合っているような気がします。

「うわぁ、きれいだねぇ！」

「そうだねぇ、きれいだねぇ！」

いつまでも、いつまでも、歩いていたい気分でした。おなかは空腹のままだけど、心は十分に満たされました。よろず屋の親切なおじさん、教えてくれてありがとう！

緑のトンネルを探していたら、思いがけず花のトンネルに巡り合いました。木綿花を愛でる人でいっぱい。

Ⅲ

ベストショット

厄払いロケット花火（鹽水）

私が台湾に赴任してからというもの、会社では製品トラブルが頻発しました。口の悪い日本人の同僚からは、

「日本から厄をしょってきたんじゃないですか？」

と責められました。

今は旧暦の小正月。ちょうど台南の鹽（塩）水区では、願いごとが叶うということで有名な「鹽水蜂炮」祭りをやっているとのこと。それならば、と名物のロケット花火を浴びて厄払いをすることにしました。

会場の近くに住んでいる社員の家から、このロケット花火のための防具一式を借りました。防寒着上下、長靴、厚手の手袋、フルフェイスのヘルメットを身に着け、さらに隙間をガムテープでぐるぐる巻きに。これで完璧。矢でも鉄砲でももってこい！

一緒に会場に行った同僚たちは、後ろのほうで気楽に見物していたのですが、私は怖い

稱武

もの見たさに前へ前へと進み、ついに最前列に。そこで目の当たりにしたのは、わが目を疑うようなおびただしい数のロケット花火。祭りもクライマックス。大盛り上がりの中で、この膨大な数のロケット花火が次々に点火されました。

ピュー、キーン、バパン、バチバチ！

うおー、うおーっ！　熱い、痛い、息ができない、死にそーっ！

この時ばかりは、本当に死ぬかと思いました。

おかげで厄払いができ平穏な日々が戻ってきたのですが、もう二度とこの祭りには参加したくありません。今度こそ命の保証はないでしょうから。

ちなみに、火薬は中華民族の四大発明の一つ。

私はてっきり、火薬を発明した目的は戦争をするためだと思っていました。しかし、台湾に来てから火薬を発明した本当の理由を知りました。中華民族にとって火薬は神様と人を結ぶ通信手段だったのですね。

エコです

いったい何が起こったのでしょうか、このバイクの身の上に……。

台湾人は環境問題の話題に敏感で、マイバッグ、マイタピオカドリンク手提げ、マイストローなど、いち早く導入しています。その一環でしょうか？　最先端の〝エコバイク〟？　……まさかねぇ。台湾は温暖なので、ちょっと乗っていない間に雑草にまとわりつかれてしまったんでしょうかね。

バイクの持ち主は、こんな状況になっても気にしないのかな。でも、このおおらかさがとっても台湾らしくてステキです。こういった光景を見るたびに、私は心の中でいつも拍手喝采してしまうのです。

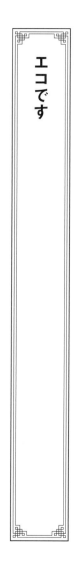

愛しの茶器

おしゃれ！　この茶器、欲しかったなぁ。買いそびれたことを未だに後悔しています。台南の林百貨店に展示してあった茶器。見るたびに心の底から「かわいい！」と胸がキュンキュンしましたが、高額なのでなかなか買う勇気が湧きませんでした。そうこうしているうちに、いつの間にかこの茶器は誰かに買われてしまったのです。

学生の時、いつも通学電車で一緒になる、気になっていた女の子に声をかけられずにいたら、いつの間にかほかの男子に先を越されてしまったような感じ……。この茶器、今頃どこかの家庭で幸せに暮らしているのかな。

パイナップル畑（關廟）

パイナップル小僧が葉っぱの上に！

台湾に来るまで、私はパイナップルがどのようにできるのか知りませんでした。もしかしたらヤシの実みたいに、背の高い樹に鈴なりにぶら下がっているのかな？　と想像していました。でも、実際はこんな感じ。

ツンツンとがった葉っぱの上に、ひょうきんなモヒカン刈り坊やが、ひょっこりと顔をのぞかせています。

※台南市關廟区はパイナップルの産地。切ったパイナップルが一袋五十元（約百八十円）。それはそれは甘いパイナップルです。ご賞味あれ。

北回帰線

台南市の北隣の嘉儀市上空を、北回帰線が走っています。ということは、ここ台南は真夏の数日間は太陽が真上を通るのです。あつい、暑い、熱い！　薄くなった脳天の地肌をジリジリと焦がす太陽。炎天下で作業をしていると、気が遠くなりそうです。幽霊には影がないそうですが、真夏の私にも影がありません。ほとんど死んでいます。太陽に真上から照らしつけられ、影のない状態が数日続くと、本当に生きた心地がしないのです。

生まれてからずっとこの環境で生活していて当然慣れているはずの台湾人も、この暑さはこたえるらしいのです。特に真夏の炎天下でバイクに乗っている時、直射日光をもろに受けているフルフェイスのヘルメットの中は、ものすごいことになっているんだそうです。グラグラと煮えたぎった鍋の中に頭を突っ込んでいる感じでしょうか。

気球（十份）

上がった、揚がった！　願いを込めた気球が空高く舞い上がっていきます。

ここは十份《じゅうふん》駅前。線路上で観光客が次々と気球を飛ばしていました。気球は予想以上に高く飛んでいき、やがて山の向こうに消えて、視界の彼方に……。

ところで、これだけおびただしい数の気球を飛ばして、その後どうなってしまうのでしょうか？　落ちたあとは近所迷惑もはなはだしいと思います。それに、火がついたまま山や民家に落ちたら大変です。日本なら苦情の嵐で即、訴訟問題になってしまうでしょう。でも、小さいことは気にしない台湾人のおおらかさ。台湾人を見習って、もうちょっと心のひもの結び目を緩くしてみようか。

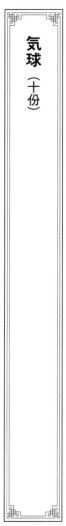

出入平安

曲芸バイク

最近ではあまり見かけなくなりましたが、私が台湾に赴任して間もなくの頃は、こういう人がいっぱいいいました。目を疑うようなバイク運転手。喜ぶからと、無防備にもかわいい孫をバイクの前に乗せています。今でもスクーターに子供を乗せる時は前に座らせている人が多いですが、以前は後ろにも前にも。

台湾の人は車よりもバイクが好きなんでしょうね。家族で外出する場合、バイクの三人乗り以上は普通でした。これまでに私が目撃した最高記録は五人乗り。スクーターをお父さんが運転して、前に次男、後ろに長男とお母さん、お母さんの後ろにおんぶひもで括り付けた末っ子。まるで曲芸師のようでした。

しかし、最近は取り締まりが厳しくなったせいか、そんな命知らずのライダーは見かけなくなりました。

お立ち台

車の上にポールを立てて、お姉さんたちが舞い踊っている姿に、つい目が釘付けになっちゃいます。

神様のお祭りの行列でよく見かける光景、走るお立ち台。

台湾のお寺には、たくさんの神様がおわします。大勢の神様が密集している中では、高いところで踊らないと、せっかくの踊りも見ていただくことができません。でも、これなら大丈夫、よく見えます。下界の私たち庶民もおこぼれを頂戴して、目の保養。ありがたや、ありがたや！

南豐表演藝術
近新光三越
263 8088
東興
青草店

Ⅳ

心のメンテナンス

癒しの空間

日本で家族と過ごしていた時のこと。

週末、いつものように家でゴロゴロしていると、

「邪魔だから、そんなに暇ならどこかに出かけたら？」

などと妻はイヤミを。

「何言ってんだ。俺は今、全力で休んでるんだ！〝頑張らないこと〟に集中してるんだから、気を散らさないでくれ」

と私（ただし、これは心の中の声ですけれど）。仕事で傷ついた心を、家族という湯舟につかって癒しているのにわかってくれない。のんきに見えるけれど、心の中は大風なんですよ。ね、良寛さん。

そして今、台湾で見つけた私だけの癒しの空間。それは、台南市龍崎区の老街《ラオジェ》（旧市

街）。家から自転車で片道一時間半。

ここには街中に〝なんにもない〟が充満しています。山の中にぽっかりと現れたのどかな街並み。この街をぶらぶら歩いていると、時おり《とおり》聞こえてくるのは近所の人たちののんびりした雑談の声だけ。あとは「シーン」という静けさの音なき音。まるでゆりかごの中にいるような心地よさ。子供のころの田舎暮らしを思い出してしまいます。

歩きながら、ここに来る途中で買ったパイナップルをほおばっていたら、自転車を漕いできた疲れもとれました。もうしばらくの間、この〝なんにもない〟空間に私の心を癒してもらおう。

ちなみに、「バカンス」という言葉の語源は〝なんにもない〟だそうです。台湾の片田舎では、あちこちでこんなおしゃれなバカンスが楽しめます。

この通りにある、化石のような雑貨店。こんな店が日本に現存していたら重要文化財に指定されるかもしれませんね。

心の隙間を埋める技〝三昧〟

日本にいた時のお話。

「雑念を捨て、心を整えよう！」

ある週末、急に思い立ち、私は座禅をするために朝早く起きて近所のお寺へ。意味は全くわからないけれど、ほかの参加者の読経に合わせ、口をもぐもぐさせてお経を読んでいるふりをしてみました。すると、背筋を伸ばして一点を見つめているだけで、不思議と心が洗われたような気分になり、けがれた心がちょっとだけきれいになったような……。

そして、座禅会の最後にご住職のありがたいお話を聞きました。

「心に隙間があると余計なことを考えて、不安に支配されてしまいます。なんでもいいから、一つのことに没頭することが大切。これを三昧《さんまい》と言います」

単身赴任生活を送っている今、私の心は隙間だらけです。

「今年もまた、デング熱が流行ったらどうしよう」

「ダムの水は梅雨の時期までもつかな」

「宴会の次の日の二日酔い、憂鬱だなぁ……」

などなど、ついつい案じてしまいます。考えても仕方がないことなのに。

余計なことを考える暇がないほど、何かに没頭できる手段を持っている人は幸せ。でも、没頭できる場所に逃げ込むのではなく、願わくは没頭できる何かを追いかけたいものです。

今のところ追いかけるものはなんにもなく……頻繁に日本料理屋に逃げ込んでいます。週に一度、ビールを飲みながら『漫画三《まんがざん》昧《まい》』。ここには日本の漫画本がいっぱい。「今日もこの前の続きを読むぞ！」……時間の経つのも忘れてしまいます。

樹の心

毎年、台湾に上陸する台風の勢いは、猛烈を通り越して苛烈、峻烈。日本では経験したことがない凄まじさです。

先日の台風の時も、屋外に出ると危険なので家の中で所在なくゴロゴロしていると、外からものすごい風の音が聞こえてきました。恐る恐るカーテンの隙間から外を眺めると、マンションの中庭の木々が暴風にあおられ、太い幹までしならせて今にも倒れそうです。先ほど聞こえたのは風の音ではなく、猛烈な勢いの風雨を全身に受けながら必死に耐え忍んでいる木々の叫び声だったのかもしれません。

普段はマンションの住民を強い日差しから守り、そして、きれいな落ち葉やキラキラした木漏れ日で私たちの心を優しく癒してくれています。しかし、嵐の日には誰の助けも借りず、必死にひとりで耐えていたのです。

次の日、私はこれらの木々を見上げながら、しみじみと心の中で敬意を表しました。

――私もこんな人になりたいなあ。

台南公園。繰り返しすさまじい風雨にさらされ傷だらけになった木々も、決してあきらめることなく精一杯に生きています。こうして眺めていると彼らの心意気が聞こえてくるような気がします。「心配しなくてもいいよ、大丈夫。ちょっと時間はかかるかもしれないけど、必ず復活して見せるから」

清明節と象の墓参り

今週末もまた四連休。台湾では最近やたらと連休が多いような気がします。どこに行くあてもない単身赴任者には、この連休が結構きつい。何かやることを見つけなくちゃ。

四月初旬の連休は清明節《チンミンジエ》。清明節は年に一度の墓掃除の日です。墓掃除をして、墓参りをして、親戚みんなで集まって、飲んで、食って、楽しんで……。

私は台湾に来てからは、お盆などの時期にわざわざ帰国してまで墓参りをすることがなくなってしまいました。すでに他界している両親は、息子や孫たちが墓参りに来るのを待っているかもしれないのに。つくづく自分の親不孝を痛感します。台湾では一年に一度、この清明節だけしか墓参りをしないと聞いた時には、「ご先祖さんがかわいそう」と思いましたが、私のほうがよっぽど薄情者かもしれません。

以前、テレビを見ていたらアフリカ象の行動を追うドキュメンタリー番組を放送していました。象は食物となる草を求めてアフリカの草原を旅するのですが、一年のうち一度だ

高雄市覆鼎金にある旧日本人遺骨安置所（※現在、遺骨は別の場所に移され、ここは記念公墓として残されています）。かつて台湾の地に根を生やし台湾の人たちとともに生きた日本人がいたことの証がここにあります。

け、同じ場所に帰るのだそうです。そこは親の象が亡くなった場所。子供の象は親の亡骸を見つけると、長い鼻で骨だけになった頭蓋骨をころころと転がして、亡き父母を懐かしんでいました。象って親孝行なんですね。

私もあと二、三十年したら墓の下に眠ることになるのでしょうが、子供たちは会いに来てくれるのでしょうか？　できれば象みたいに、子供や孫たちが私の骨をころころ転がして遊んでくれたら嬉しいな。

ジャックとあめまめき

市民の憩いの場、台南公園。ここには樹齢百年の「雨豆樹（マメ科。英名Rain Tree)」の大木があり、空いっぱいに大きな枝を広げています。こんな大木なのにマメ科だとは驚きです。私はこの木を見るまで、豆といえば枝豆やえんどう豆しか思い浮かびませんでした。

子供の頃、童話の『ジャックと豆の木』の絵本を見るたびに、「なんか変だなー」と思っていました。絵本には、えんどう豆らしき植物の蔓《つる》が螺旋を描きながら天まで伸びている姿が描写されていましたが、さすがにこの絵には無理があります。子供心にも、「こんな頼りない豆の蔓で、天まで行けるの？」と疑問を抱いたものです。

しかし、このマメ科の樹木、雨豆樹の大木を見て、初めて納得がいきました。この豆の木なら天国まで行けるかも！

先ほども、園内に住み着いているリスがチョロチョロと雨豆樹の枝を登っていきました。

小さなリスにしてみれば、まさに天にも昇る気分でしょうね。

太い幹から何本にも分かれた枝は、天高く空いっぱいに広がっています。仰ぎ見ていると、心まで大きくなったような気がします。

ここを通り過ぎる人は皆この雨豆樹の梢を見上げて行きます。スマホを見ながらうつむいてばかりいないで、たまには空を見上げてみましょう。気分が晴れ晴れしますよ！

菩提樹の下で

ざわざわざわざわぁー……。五月に入り、めっきり蒸し暑く感じられるようになりましたが、先ほど爽やかな風が吹き抜けていきました。古木が多い台南公園の中でも最も古い樹木、樹齢百十年の菩提樹。菩提樹はクワ科の植物だそうです。確かに、幹の感じ、葉っぱや木の実の形が、子供の頃に田舎でよく見た桑の木にどことなく似ています。

この木の葉っぱは幅広で先端が尖っている特殊な形のせいか、風に揺られて葉と葉がこすれた時に独特な賑やかな音がします。聞きようによると「シャカシャカ」とも聞こえます。なるほど！

お釈迦様は菩提樹の下で悟りを開いたといわれています。私はてっきり、一人静かに瞑想している姿を想像していたのですが、本当は風に揺れている菩提樹の葉っぱと会話を楽しんでいたのかもしれません。晩年は多くの弟子に囲まれて過ごしたようですが、やっぱり修行の時も賑やかなほうがよかったのかもしれませんね。

風が吹くと一斉にざわざわと賑やかになる菩提樹。この木の下で木漏れ日を浴びながら風の音を聞いていると、コンサートでスポットライトに照らされて拍手喝采のただ中にいるスターになったような気分です。

キャンパスライフ

台南が誇る二つの名門国立大学、「成功大学」と「台南大学」。どちらも威厳と風格に満ちています。私はここに来るたびに元気をもらっています。

〈成功大学〉

台南駅の東側に広がる広大な敷地の成功大学キャンパス。校舎の裏手には広々とした芝生の広場。そして、ガジュマル（榕樹）の大木。この広場は台南公園と同様に台南市民の憩いの場となっています。

「この木なんの木♪　気になる木♪」と、つい口ずさみたくなってしまいます。木の下で、家族連れがシートを広げておやつを食べている光景が心に染みます。わが家にもこんな時

休日の朝、学生はもちろんのこと、家族連れや太極拳愛好者などいろんな人々が思い思いに運動をしたり、駆け回ったり、おやつを食べたりしながらくつろいでいます。

期がありました。子供が小さかった頃は、父親としての私の黄金時代でした。週末は近所の広場で子供たちと一日中遊んだものです。あの時はまだ、娘も私と手をつないでくれたのになぁ……。そこにいるパパたち、今のうちが華だよ！

〈台南大学〉

台南市の繁華街を通り抜け、孔子廟のさらに先へ進むと、日本統治時代に建てたと思われる古めかしい校舎が立ち並ぶ学園街があります。その一番奥にあるのが台南大学キャンパス。かつての師範学校だけあって、そのたたずまいは一段と風格があります。

六月中旬、キャンパスの中庭では黄色い花が満開。アボラ（阿勃勒＝英名Golden Shower）の並木。くるんとしたかわいい蕾が行儀よく並んだ花房を、木いっぱいに飾っています。校舎に囲まれたこの中庭は、まさに黄色一色の異空間。近くで見て良し、離れて見て良し。

クラブ活動をしている学生たちの元気のいいかけ声を聞きながら、満開のアボラの花に囲まれていたら、私の鼻先に垂れ下がっている丸っこい蕾がかわいくて愛おしくて、むしゃむしゃと

正門から見た構えがあまりにも堂々としていてちょっと入りづらい。でも、意を決して校内へ。

食べたくなってしまいました。交尾の最中にカマキリのメスがオスを食べちゃうのもこんな感じなのかな？　愛おしくて、食べちゃいたい！　あなオソロシや！

中庭はまるで別世界。黄色い花が満開。まさにゴールデンシャワー。

いい夫婦

「日本では十一月二十二日は〝いい夫婦の日〟っていうんだって？　ステキな記念日だね」

ある時、台湾の知人から唐突にそう聞かれました。彼らはこの手の話題には特に関心があるようです。そういえば、台湾では若い夫婦だけでなく、年配の夫婦も仲良く手をつないで歩いている姿をよく見かけます。

しかし、どんなに仲が良くても、ちょっとした口喧嘩は夫婦にはつきものです。それは台湾でも日本でも同じ。私と妻も人並みにくだらない喧嘩をいっぱいしてきました。しかし、年齢を重ねるごとにそれぞれに角が取れ、最近は穏やかな生活を送れる日が増えてきたような気がします。

特に私が単身赴任をするようになってからは、私も妻もお互いに優しく接するようになってきました。私がたまに日本に帰ると妻は、

「晩御飯は何食べたい？」

「ちょうど似合いそうな服があったから、買っておいたよ」

などと言ってくれます。私も妻の言うことは積極的に聞くようになりました。妻が、

「買い物に行きたいんだけど、運転してくれる？」

と言えば、

「はいはい、喜んで！」

妻が、

「今度、家族で旅行に行こうか？」

と言えば、

「それはいい考えだね！　ぜひとも」

うちもやっと理想の夫婦に近づいてきたのかな？

ところが、旧正月の長期休暇で日本に帰った時のこと。最初のうちはお互いに〝いい夫婦〟を演じていたのですが、五日も経つとだんだん険悪になり、最後にはとうとう口喧嘩。私が台湾に単身赴任している現在、たまにちょっとだけ日本に帰った時は、お互いにいい距離感を保っているために、うまくいっているとと勘違いしていたんですね。理想の夫婦に

なれたわけではありませんでした。

でも、喧嘩をするほど仲が良いといいますから、わが夫婦はまだまだ安泰です。

私たちほどではありませんが、台湾でも以前、たいへん仲睦まじい夫婦のやり取りを目撃しました。

それは昨年の五月、税務署での出来事（五月は年に一度の納税の月）。私は税金申告のために税務署へ。申告の窓口に行くと、私の前に一組、日本人の旦那さんと台湾人の奥さんと思しき若い夫婦が来ていました。

窓口の係員と夫婦の会話を何食わぬ顔で盗み聞きしてみると……、日本で入っていた保険がどうのこうの……。その明細書がどうのこうの……。

どうやら日本から取り寄せた書類が足りなかったせいで控除の申告が十分にできないようです。奥さんは眉間にしわを寄せ、終止不機嫌そう。旦那さんは終止ばつが悪そう。奥さんの鋭い眼光は「あなたの事前の準備が足りなかったせいよ」と言葉以上の詰問を浴びせていました。まるで、この世が終わってしまうほどの深刻さ。奥さんの気持ちを想像すると「うちの旦那はなんて迂闊《うかつ》なの！　この税金控除ができれば二人で仲良くリッチなランチが食べられるのに……」といったところでしょうか。

　他愛のない夫婦喧嘩は傍から見ていると、お互いに「悔しくて悔しくて、アイシテル！」と言い合っているようで、なんとも微笑ましく思えてしまうのです。

　順番待ちをしながら見て見ぬふりをしていた私は、心の中で「頑張れ旦那さん！」とエールを送りました。いっぱい喧嘩をして、ますます仲良くね！

お手伝い

「ヤオ　タイズマ？（要袋子嗎？＝袋いりますか？）」

大人用のエプロンが大きすぎて引きずりそう。でも一人前の戦力としてお客さんの相手をしています。

ここは私が週末によく行く農産物市場。野太い老《ラオ》板《パン》（店主）のかけ声に交じって、かわいらしい女の子の声が聞こえてきました。振り返ると、小さな女の子が大きな大人用のエプロンを誇らしげに身に着けて、お母さんのお手伝いをしているところでした。

そういえば、この市場では家族ぐるみで野菜や果物を売っている光景をよく見かけます。お父さん、お母さんが客の相手をしている脇で、子供たちが学校の宿題をしていたり、昼寝をしていたり、そしてちょっとだけ仕事の手伝いもしたり。なんとものど

お父さんが選別した果物を店頭まで運ぶ役目を買って出ています。店頭までの距離は約6m。

かな光景です。

私も家が農家だったので、農作業をしている両親の後ろ姿を見ながら育ちました。当然、子供も嫌でも手伝いはしなければなりません。でも近所の大人に、「手伝いをして偉いね」などと言われると、子供心に嬉しかったものです。それに、農作業の休憩時に縁側でみんなと一緒にお茶を飲んだりしていると、ちょっとだけ大人の仲間入りをしたような誇らしい気分も味わえました。

日本では最近〝仕事〟を体験できる子供用のテーマパークが人気を博していると聞きます。昔は生活の中に取り込まれていた〝子供の労働〟も、今はお金を払ってまで体験しなければならないとは、何とも不思議な気がします。

台南ではまだまだ古き良き台湾の原風景が残っているようで嬉しいです。今日も農産物市場に行って、果物や野菜を両手いっぱいに、そして、懐かしい気持ちを心いっぱいに抱えて家に持ち帰ります。

ぶっきらぼう台南人

「態度はよくないけど、悪気はないから、怒っちゃだめですよ」

こちらに赴任したばかりの時、台南生活が長い同僚から忠告を受けました。台湾の南部の人は穏やかでいい人ばかりだけど、表現の仕方が下手だから、ともすると怒っているように見えるのだそうです。

営業スマイルに慣れている日本人の私は、お店の店員さんの不機嫌そうな表情に思わず、「俺、何か悪いことしたかな……?」と怯んでしまうこともしばしば。

先日もタクシーに乗った際、私が下手な中国語でぼそぼそと行き先を告げると、運転手さんは「あぁー?」とヤクザのお兄さんのようにしゃくり上げるような聞き返し方。私はタクシーに乗っているあいだ中、心中穏やかではありませんでした。もう少しお客さんに笑顔で対応できないのかな……。同僚から忠告を受けていたので、わかってはいるのですが、こんな時はついイライラしてしまうのです。

そこである日、行きつけのめし屋で昼食を済ませ店を出る際、勇気を出して笑顔で手を振りながら「謝謝！」とあいさつをすると、店員さんも百万ドルの笑顔で応えてくれました。

そうか、そういうことだったのか！

今まで、私自身が仏頂面だったのかも。相手だけが不機嫌そうな顔をしていたわけではないのですね。時には自らを省みることも必要。

他人《ひと》は自分を映す鏡と見つけたり！

百万ドルの笑顔たち。みんないい顔をしているなぁ。こちらも嬉しくなってしまいます。

経営の極意

私は週末になると、暇つぶしによく台南の市街をぶらぶらと徘徊します。それも、長く歩けるようにできるだけゆっくり。すると、いつも車や自転車で通っている道でも、新しい発見がいっぱいあるのです。スピードが違うだけで、こんなにも見える景色が変わるのかと驚かされます。おかげで台南市の中心街の大半は、小さな道まで知ることができました。地元の人より詳しいかも。

一歩、路地裏に足を踏み入れると、意外にも面白そうな店が数多く軒を連ねています。営業しているのかいないのか判別できない喫茶店。わざと人目につかないようにしているとしか思えない店構えの甘味処。何を食べさせてくれるのか想像すらできない食べ物屋らしき店などなど。これらの店はきのう今日開店したばかりではないようだし、夜逃げもしていないので、曲がりなりにも採算が取れているはずです。我々サラリーマン風情には計り知れない経営のノウハウを持っているんでしょうね。侮れません。

この不思議な店構え。結局、何をやっている店か解明できませんでした。でも、観光客の来店が絶えません。

彼らを見ているとのんびりしているように見えるけど、皆それぞれの歩調で、決して背伸びをせず楽しみながら店を運営しているようです。経営の極意というよりも〝生きる極意〟を教えてもらったような気がします。きっと、彼らに見えている世間の景色も、私たちとは違うんでしょうね。

人生はりゃおてぃえん

りゃおてぃえん（聊天＝おしゃべり）。

なんとものどかな響きです。台湾人は、暇さえあればりゃおてぃえん。みんなおしゃべりです。この一見、意味のない時間の無駄遣いこそ、人生を豊かにしてくれます。

私の行きつけの床屋のおばちゃんは特によくしゃべります。私が席についても、おしゃべりに花が咲いてなかなか仕事に取りかかりません。当然、中国語でしゃべっているので私にはほとんど聞き取れないのですが、話の流れを切ってはいけないと思い、適当に相槌を打っていると、髪を切り始めてからもまだしゃべっています。私は愛想笑いを浮かべながら、「話に夢中になるのはいいけど、お願いだから切りすぎないでね。ただでさえ少ない髪の毛なんだから……」と心の中で祈るのです。

私の会社の人たちも右に同じ。会議中、幅広くみんなの考えを聞こうと思い、ついうっかり意見を求めると、いつまでも話しています。通訳さんに、「何言ってるの？」と聞く

市場ではフーテンの寅さんのような啖呵売りの売り子が腕を競い合っています。お客さんたちもまるでアイドルの歌声に聞きほれているような眼差し。そのテンポと威勢の良さは台湾語が分からない私の心にも響いてきます。

と、「さっきから話が脱線しています」ってな感じ。

　社長も台湾人ゆえに、宴会の始めのあいさつではずっとしゃべっています。通訳さんに、「何しゃべってるの?」と聞くと、「ひたすら自慢話をしています」だそうです。

　聞くところによると、インド人もめちゃくちゃおしゃべりだとか。古代文明発祥の地の民族はよくしゃべるのだそうです。台湾人がおしゃべりなのは、中華民族の血を引いているためでしょうか?　どうりで彼らの話しぶりには、そこはかとなく中華四千年の重みを感じます。

結婚式はWin・Win

台湾の結婚式は楽しいな！

おいしい料理と、おいしいお酒、そしてステージではプロのミュージシャンが歌や楽器演奏で会場を盛り上げます。ステージで演奏していたバイオリンやフルートのお姉さんたちがテーブルを回ってくると、ますます盛り上がっちゃいます。花嫁の親戚のおばちゃんたちも楽しくなって、行列を作ってバイオリン弾きのお姉さんのあとについて踊り始めました。同じアホなら踊らにゃソンソン♪　私も行進の隊列に加わって踊らせてもらいました。楽しい！

日本でも昔は一族総出の結婚式で賑やかでしたが、

最近はジミ婚のほうが多いのでしょうか。でも、こちら台南ではまだまだハデ婚です。

この前の結婚式の時は、いったい招待客は何人いたんだろう？　ひとテーブル十人で、それが八十テーブルくらい……。少なく見積もっても七百人はいたんじゃないでしょうか。これじゃあ簡単に離婚はできません。ましてや再婚なんかするには相当な度胸がいるでしょうね。新郎新婦のご両親は破産しちゃうんじゃないでしょうか。

しかし、よく考えてみると、台湾の結婚式はかなり合理的。以前出席した結婚式の式場は公民館、この前お呼ばれした時は高校の体育館、そして今日は道路の上。場所代はほとんどタダ？　かかるのは、料理代とテントのレンタル代、それにミュージシャンたちへのギャラくらい。だから十分もとが取れているのではないでしょうか。お呼ばれしたこちらとしても、たらふく食べて浴びるほど飲んで、その上おもいっきり踊りまくれば、ご祝儀をはずんでも確実にもとが取れます。大満足です。

また誰か結婚式に呼んでくれないかな。次も踊りまくっちゃいますよ！

市中引き回しの刑

台湾に赴任して五年半。週末は暇を持て余して、台南の街のあっちをぶらぶら、こっちをぶらぶら。マニアックな店や穴場の観光スポットを数多く知るようになりました。

そのため最近は、よそから来た人に台南を自慢したくて仕方がありません。日本や台北在住の日本人が出張で台南に来ると、業務終了後に台南観光を強要します。俺の台南を見てくれ！　自慢させてくれ！

いかにも台南らしい飲み屋で腹を満たしたあとは、地元の人しか知らないディープな台南を案内します。道々、半ば都市伝説的なうんちくなどもまことしやかに披露し

鶴百貨
公主病

67

ながら、小路を曲がって雰囲気のある裏通りを通り、シブイ喫茶店やお土産物屋などに案内すると、みんな感心しきり。台南の街並みやお店が褒められると、自分が褒められたような気がして嬉しくてなりません。

ところが、調子に乗って、「こんなところもあるぞ、あんなところもあるぞ」と夜遅くまで引っ張り回すものだから、途中からはみんなうんざり……。お願いだからもう勘弁してくれ！　と言わんばかりの表情になります。

でも仕上げに、観光スポットとして有名な某百貨店に連れていき、レトロな制服を着たかわいい女子店員とのツーショット写真を撮ってやれば、みんな機嫌よく帰っていきます。

これだけ台南の観光に貢献しているのだから、そろそろ市政府から「台南観光大使」に任命されてもいい頃なんだけど……。

君の名

週末、しばしば通る散歩道。レンガ塀の向こうの空き地で、雑草がピンク色の小さな花をいっぱい咲かせています。もう何年も前からこの花のことが気になっていて仕方がなかったのですが、残念ながら名前がわかりません。

君の名は？　わからないからますます気になってしまいます。いつもしばし足を止めて、塀の向こうに咲くこの花を、食い入るように見入ってしまうのです。折からミツバチがせっせと蜜を集めている姿も健気《けなげ》で、ほほえましくて、つい、ムフッ、ムフッ……と顔がにやけてしまいます。脇を通る通行人は、さぞ気味が悪いでしょうね。

あと数日で台湾を去ることになったある日、植物に詳しい台湾人が、この雑草の名前を教えてくれました。その名は「珊瑚藤」。まさにこの可憐な花にぴったりの名前。ついに彼女の名前を知ることができたのです。君の名は「珊瑚藤」というのか！　これで心置きなく台湾をあとにすることができます。

V

台南の名店・迷店

大きな鍋の前にはいつも長蛇の列ができています。

邱家小巻米粉

イカ好きにはたまらない小巻米粉（イカビーフン）の名店。この店、多い時は行列が店の建物を一周してしまうほどの人気ぶりです。

私は面倒くさがりということもあって、行列ができる有名なラーメン屋と、ガラガラの普通のラーメン屋が二軒並んでいたら、迷わず普通のラーメン屋を選びます。味よりもくつろぎを優先するのです。しかしこの店に限っては、長時間並んでいても全然苦になりません。

イカの風味と魚醤の旨み、太めのビーフンのぷりぷりした歯ごたえが素晴らしい。量は少なめで、いわゆる小吃《シャオチー》（ちょい食べ料理）。

この店の道路の向かい側にも、麺線《めんせん》（台湾風煮込みそうめん）の名店や、甘味処の名店が集まっているので、とりあえず全部制覇するためには、このくらいの分量でちょうどいいのです。

さあ、食べ終わったら次、行くぞ！

この店がある國華街はB級グルメの激戦区。台湾各地からの観光客でごった返しています。人気店だけを選んでハシゴしても、胃袋を最低3つくらい用意する必要があります。

存憶珈琲

通りをぶらぶら歩いていたら、テレビの中でメダカが泳いでいました。人を食ったようなこの展示に、思わず目を奪われて店に入ってしまったのです。珈琲を注文すると、マスターが力の抜けたやんわりとした笑顔で対応してくれました。

「以前は暇だったんだけど、親切な日本人がSNSで宣伝してくれたおかげで、今は結構忙しいんだ」

と人懐っこい笑顔で語りかけてきました。このマスターの力の抜けた笑顔と、やる気のなさそうな自然なふるまいを見ていると、こちらまで力が抜けてリラックスしてしまいます。


この店は、夏でも冬でもオープンカフェ。「よっ！」と声をかけて店の前を素通りしてもマスターは恨めしそうな顔を一切せず、気さくに笑顔で答えてくれます。「来る者は拒まず、去る者は追わず」を地で行っている感じ。だから、気が付くといつの間にか店に入ってしまうのです。

レトロな店構えとやんわりとしたマスターの笑顔。どちらも十分すぎるほど脱力感を漂わせています。

合成帆布

店先にはどこかの中学校のネーム入りのカバンが山と積まれていました。こんなおしゃれなカバンを下げて学校に行ける中学生がうらやましい。

私のお気に入りのかばん屋です。今までに、自分と日本にいる家族のために、いくつもこのカバンを買いました。キャンバス（帆布）生地がレトロでいい味を出しています。特にショルダーバッグは、昭和の男子なら、中学時代に誰でも斜めに掛けていたあのカバンを思い出してしまいます。懐かしい！

私は日本からの出張者が来るたびに、このお店に連れていって、「お土産にどう？」と勧めます。今までにずいぶん売り上げに貢献しているはずです。でも、このお店は品質に自信があるらしく、常連客の私でさえも絶対にまけてくれません。何個もまとめ買いした時に合計一〇五〇元だったので、「五〇元まけて」とお願いしたのですが、頑としてまけてくれませんでした。

ところがある時、日本人の同僚とこのお店の話になり、

「あそこは強気だね。びた一文まけてくれないよ」

と愚痴を言ったら、同僚曰く、

「うちのかみさんが買った時には、まけてくれましたよ」

ですと。なんてぇこった！

鹿早茶屋

——改装中

　ネットで見つけたレトロで雰囲気の良さそうな喫茶店『鹿早茶屋』。早速行ってみよう！　あらかじめ調べておいた住所に到着し「鹿早茶屋」の看板を見つけたのですが、中を覗くと喫茶店はやっていません。おかしいなぁ……。店内にいるおばちゃんに尋ねてみました。

「その店はここだけど、今は改装中だからやってないよ。コーヒーが飲みたければ奥で飲めるよ」

　単に珈琲が飲みたいってわけじゃないんだけど……まぁいいか。

　案内されたのは、別棟にある超マニアックなお

反省をしたい人はここに来るといいですよ。素直な気持ちになれます。

部屋。これ、喫茶店と言える？　単なる多趣味な人の物置って感じ。

でもなんだか落ち着く。なんだろう、この不思議な気持ち。わが身の来し方を振り返ってしまいたくなる空間。あまりにも不思議な部屋すぎて、どこに視点を合わせていいかわからず、結局、自分の内面を見つめてしまう。刑に服している人も、独房の中でこんな感じなのかな？　神様、私をお許しください、懺悔！

寂しくなったら、またこの不思議な空間に来よう。

赤崁擔仔麵

台南観光の聖地、赤崁楼《チーカンロウ》のすぐ近くにある名店『赤崁擔仔麵《タンツーメン》』。日本統治時代の歯科医院の建物をそのまま使っているだけあって、店内に入ると日本の大正時代にタイムスリップしてしまったようなレトロな雰囲気が味わえます。

この店は昼間からビールが飲める数少ないレストラン。私にとってはオアシスです。最近の台湾ブームもあって、近年は台南の街なかでも日本語の会話をよく耳にしますが、この店にも少なからず日本人観光客が来ているようです。そして、日本語が聞こえてくるテーブルを見ると、必ずビール瓶が並んでいます。ま

るで、「このテーブルの客は日本人ですよー」という目印にしているみたいです。

私も休日はこのお店に頻繁に昼食を食べに行くものだから、女主人に顔を覚えられてしまいました。この店の前を素通りしようものなら、「ちょっと、なんで食べていかないの」と叱られてしまいます。気さくでいい人なんだけど、ちょっとおせっかいがすぎます。

とある日曜の昼下がりに、いつものようにビールを飲みながら昼めしを食べていると、女性二人組の日本人観光客が入ってきました。すると女主人は私のほうを指さして、

「あの人は日本人だから、相席するといいよ」

と、いらぬおせっかいを。一人で気楽にビールを飲みながら、豚の角煮に舌鼓を打って陶酔していた私は、急なアクシデントに見舞われ、テーブルに散らかしていた自分の料理をかき集めて居住まいを正しました。

「ご一緒してもいいですか？」

「あっ、どうぞ、どうぞ……」

「台南にお住まいなんですか？　どこかおすすめの観光スポットありますか？」

「あー、神農街とか林百貨店とか……」

案内された席は小学校の頃を思い出させるような木の机と椅子。大正時代の建物とマッチしています。台湾の人にとっても、この雰囲気は懐かしく感じるのかな。

「そこはもう行きました」

「あーそうですか……、じゃ、私より詳しいですね」

最近の日本人観光客はリピーターが多く、大体の観光スポットは行きつくしているようです。当時は私も未熟者だったので、彼女たちをうならせるようなお店や観光スポットは紹介できませんでした。今なら、あまりの感動に悲鳴を上げたくなるようなマニアックなスポットも紹介できるのにねぇ、残念でなりません。

秘氏珈琲

知り合いをここに案内すると必ず「いいねぇ、シブいねぇ。よくこんな秘密の隠れ家みたいな店を見つけたねぇ」と感心しきり。台南通としては面目躍如の瞬間です。

コーヒーを入れている一挙手一投足に見入ってしまう……。カウンターの私の隣の席にいるカップルも、さっきから一言も言葉を発さず、私と同じようにマスターの手元をうっとりと眺めています。まるで芸術作品を見ているかのようです。

我々三人それぞれに一杯ずつ、同じ動作を繰り返しながら珈琲の作法を披露してくれるのです。自分のコーヒーを飲んでいる間も、あとから来た客のコーヒーを入れているマスターの動作に見入ってしまいました。こんな静寂な時間の過ごし方を、もうどのくらい忘れていたことでしょう。

ここは秘氏珈琲。地図を頼りに来店するも入口がわからず、店の近くをうろうろ行ったり来たり。台湾人の観光客でさえも、この店を目当てに来るものの、なかなか見つからずに苦労しているようです。

しかし、やっと見つけてこの店で珈琲道の神髄を見せてもらうと、苦労して探した甲斐があったというものです。

うたまろ

週に一度は定食とビールと漫画本。六年間、ありがとう！　台湾での単身赴任中、このお店は私の心の支えでした。ビールを飲みながら日本の漫画本を読んでいると、時間の経つのを忘れてしまいます。そして、深く深く心が癒されるのです。日本にいた時はそれが当たり前でしたが、海外に来ると日本の漫画のクオリティーの高さを改めて再認識させられます。漫画は日本の宝だ！

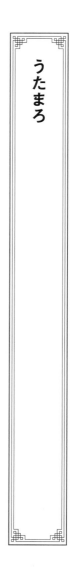

ほかの日本人出向者は、「台南にはもっとおいしい日本料理屋はいっぱいあるよ」と言いますが、私に言わせれば、ここの塩サバ定食もチキンカツ定食も、ほかの店より断然おいしいのです。特にジャンボハンバーグ定食のおいしさと言ったら、それはもう言葉になりません。

まあ、たしかに特別凝った料理はないのですが、日本の家庭の味をそのまま取り入れているというか、けれんみが全くないのです。その上、ごはんとキャベツは食べ放題。テー

このお店の店長は笑顔のステキな美人さんです。台南在住の日本人出向者には彼女のファンが多いようです。

ブルに置いてあるフリカケは使い放題。日本人の心をつかんで離しません。

ところでこの店、最近はやたらと地元台湾の若者客が多く、満席で入れないこともある始末です。私にとっては死活問題。台湾人に本当の日本の味を知ってもらえるのは嬉しいのですが……。

「きみたち、台南にはこの店のほかにも、もっとおいしい日本料理のお店がいっぱいあるよ」と言ったら、みんなほかの店に行ってくれるかな？　そうしたら私がこの店を独り占めできるのにね。悪だくみは得意です。

Ⅵ

台湾周遊

田園風景

ここは台湾の東海岸、花蓮縣南部の田園地帯。東に海岸山脈、西に台湾山脈、その間に約一五〇キロも細く長く連なる平野「花東縦谷」。ちょうど、あの雲の上のほうに台湾最高峰の玉山（※）があるはずです。

平野一帯を埋め尽くす、田んぼ、田んぼ、田んぼ。平野を貫く台湾鉄道の車窓から外を眺めていると、何時間もこの風景が続きます。しまいには、「あれ？　俺、今、日本のどこにいるんだっけ？」という錯覚に陥ってしまいます。

かつて台湾ではインディカ米が植えられていました。台湾の緯度では、ジャポニカ米は栽培不可能と言われて

いたそうですが、日本の技術者が品種改良の末に、台湾の気候風土に合ったおいしいジャポニカ米を普及させたそうです。ですから今の台湾のお米は日本人のお口にも合います。一番有名なブランドは、台東縣池上地区でとれる「池上米」だそうです。台湾版「魚沼産コシヒカリ」ってところでしょうか。

几帳面に植えられた苗の行列は、日本と一緒。大らかな台湾人の仕業とは思えません。おそらく、田植え作業には日本のク○タの田植え機を使っているのかな?

台湾は温暖な気候なので米は二期作。一年中、米を作っています。台湾人もこの景色を見るとホッとすることでしょう。

※玉山：日本統治時代の呼び名は新高山《ニイタカヤマ》

すすき野

一面の銀世界。時期は九月下旬。台湾鉄道に乗って、台南からさらに南部の都市、屏東へと向かう途中、大きな川を横切るたびに見ることができる光景です。

現在の日本では、空き地や荒れ地はすべてといっていいほどセイタカアワダチソウに支配されています。私が大学に入学したくらいの頃から、ちらほら見かけた黄色い花、外来種のセイタカアワダチソウ。当時はまだ群生しておらず、数本のセイタカアワダチソウが単独で咲いていたためか、可憐でかわいらしく見えました。埼玉の田舎から上京してきた私は、「きれいな雑草だなぁ。俺の田舎じゃススキばっかりだけど、さすが都会、雑草もおしゃれだ」などと感心したものです。

しかし、今ではセイタカアワダチソウは厄介者。黄色い花の群生は毒々しく、また、枯れた時の汚さ加減には閉口します。その点、群生しているススキは、風に揺れると一斉にキラキラ銀色に光り輝いて、見ているこちらまで風に吹かれたような爽やかな気分になります。

今はもう日本では、めったに見ることができないススキの群生。秋になったら、台湾鉄道の車窓からこの景色を堪能してみてはいかがですか?

ふたつの国の大震災

一九九九年、台湾中部の南投県で大地震が発生しました。街は壊滅的な被害を受けたそうです。その時の惨事を忘れまいと、崩壊した小学校を今なおそのままに保存しています。記念碑には被害の様子とともに、各国の支援の様子なども書かれていました。この地震が発生した時、どこの国よりも早く救援に駆けつけ、どこの国よりも手厚い支援の手を差し伸べたのが、日本だったそうです。

そしてその十二年後、二〇一一年の東日本大震災。「今度は俺たちが助ける番だ」と、どこの国よりも早く救援隊を結成し、どこの国よりも多くの物資や義援金を日本に送ってくれたのが台湾でした。日本のこの未曾有の災厄に対して、台湾の皆さんはわがことのように心を痛め、力の限りの支援をしてくれたのです。台湾人の優しさを思うと胸が熱くなります。

東日本大震災が発生した直後、台湾の海運王、張栄発氏もわがことのように日本を心配

請勿進入

し、胸を焦がして、いてもたってもいられず、自社のコンテナ船に救援物資を満載して、いの一番に日本に支援の手を差し伸べました。そして自らの財産も切り崩し、個人で十三億円もの寄付をしたのです。

こんなにまで深く日本のことを愛してくれた人が台湾にいたなんて、私はついこの間まで知りませんでした。なんと私がこの事実を知ったのは、彼が亡くなった翌年でした。残念でなりません。

そのことを知ってから、私は台湾と日本の往復には、キテ〇ちゃんマークの粗品がもらえる長〇航空を利用しています。実は、この航空会社も彼が設立した会社なのです。

不思議の国の道案内

家族のみんなが日本から遊びに来たので、珍しく遠出をして台湾北部の観光地へ。目的地は「十份瀑布《じゅうふんばくふ》」。

最寄りの十份駅から滝までは結構距離があります。しかし、案内標識があまりないので、分かれ道で地図とにらめっこしながら、家族とあっちでもないこっちでもないと思案していた時のことです。私たちの前にいた黒い犬が、振り返ってこちらを見つめていました。「こっちだよ。早く来な」とでも言いたげに、振り向きながらしっぽを振って、我々がその道を選択するのを待っているようでした。

私たちがそちらの道を選んで歩き始めると、彼は満

足したかのように歩き始めました。そして、振り向き振り向き進むのです。こんなことが何回か繰り返されるうちに、私たちはすっかりこのワンちゃんを信用して、地図など見ずにあとをついていきました。

やがて、木立の間から滝の白いしぶきが見え始めると、彼は安心したようにどこかへ消えていってしまったのです。お礼を言う間もありませんでした。

嘘のようなホントのお話。台湾では犬もおもてなしの精神がいっぱいです。

最後の一滴

ここは台南市の水がめ「曾文水庫《そぶん》」。台湾最大のダムです。この水は烏山頭《うさんとう》ダムに供給されたのち、嘉南《かなん》平野を潤しています。

今は五月中旬。昨年の夏からこれまでおよそ八ヵ月もの間、全くと言っていいほど雨が降っていません。台南市ではそろそろ給水制限が発令されようとしています。

——そうだ！　ダムの水が少ないということは、普段は見えないダムの底が見えるのではないか？

野次馬根性を丸出しにしてダムを見に行きました。

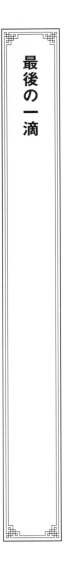

会社の運転手さんにお願いして社用車で山あいの道を飛ばすこと三時間、そろそろ目的地に到着です。どんなに切り立った谷間を見ることができるのでしょうか。ドキドキしながら近づくと、なんと目の前に大草原が出現したのです。なんじゃこれは!?

日本なら、水が干上がるとダムの底に沈んだ谷あいには昔の民家や道路などが出現する

ものです。しかし、ここでは谷なんか全くありません。すべてが土砂で埋まっています。日本と違って台湾は雨季と乾季がはっきりしています。乾季には土がパサパサになり、雨季には集中豪雨で一気にパサパサの地面が削られるため、土砂が大量にダムに運ばれてくるのでしょう。何年か後には、このダム湖は消滅してしまうのではないでしょうか。心配です。

それはさておき、喫緊の課題は目の前の水不足。ダム湖の水は放水口の周りにごくわずかばかり。やばい！　なんとかしなきゃ……。と私が心配しても、どうなるものでもありません。でも、せめて日頃の悪い行いを悔い改めて、神様に祈りましょう。

私の願いが通じたのか、このあとじきに雨が降り出し、本格的な梅雨のシーズンが訪れました。逆に言うと、今まで私の日頃の行いが悪すぎたのでしょうか？　台湾に大きな影響を与えた私の日頃の行い。この教訓を噛みしめて、これからは台湾の皆さまの幸運のために、日々精進します。

絶景、太魯閣《タロコ》のおじさん

太魯閣《タロコ》渓谷。「台湾にいるうちに一度は行ったほうがいいよ」と言われ続けて早六年。でも、あまりにも遠いので面倒くさいなーと思っていたら、ついに日本に帰る日があと一ヵ月後に迫ってきました。「よし、台湾最後の思い出に行ってみるか」と重い腰を上げることにしたのです。

台北のホテルを拠点にして、朝早く花蓮行きの台湾鉄道に乗り、列車に揺られること二時間半、花蓮駅に到着。事前に立てた計画では、駅前で観光用の個人タクシーを拾って、太魯閣の名所を案内してもらうことにしていました。

駅の改札を出てうろうろしていると、一人の厳《いか》つい顔のおじさんが声をかけてきました。

「あんた、太魯閣の観光に来たのか？　○○時間で××元、どうだい？」

相場がいくらかはわからないけど、まあいいか。

「わかった、よろしく！」

声をかけてくれた最初の人だから、これも何かの縁でしょう。頼んだよ、おじちゃん！

「俺のおすすめの、とっておきの観光スポットを案内してやるよ。よし行こう！」

オンボロ車なのに、国道をビュンビュン飛ばします。

「危ないからゆっくりでいいよ」

私は心の中で祈りました。台湾生活の最後の最後で帰らぬ人になったら、日本にいる家族はさぞ悲しむことでしょう。

「お父さん、なんて間抜けなの!?」

妻の悲しみに打ちひしがれる顔が目に浮かびます。

最初は海岸へ。あれ？ ここ太魯閣渓谷じゃないよね。

「問題ない。俺のいち押しの絶景スポットだ。どうだ、すごいだろう！」

……確かに。もう太魯閣なんかどうでもいいや、今日は一日おじさんの心の風景を旅しよう。最高だよ、太魯閣の近くの聞いたこともない絶景スポット！　すごいね。

「よし、次行こう！」

またガンガン飛ばします。途中、おすすめのレストランで昼食を済ませ、いよいよこのあたりから渓谷沿いの道です。ひゅるるるるー。急に速度を落として慎重な運転になりました。このおじさん、結構、慎重派みたい。見直しました。

じきに太魯閣渓谷は荒々しい岩肌をあらわにしだしました。すごい、すごい。さすが台湾一の絶景観光スポットだけのことはあります。

「ここで降りて記念撮影するぞ。そこに立て。俺が撮ってやる」

おじさんの厳つい顔につられて、こっちも厳つい表情で「ハイ、チーズ！」。鬼瓦のようないい表情の写真がいっぱい撮れました。

途中途中で記念撮影や散策をしながら、渓谷沿いを車でさかのぼること二時間あまり。

おじさんは空模様をしばし眺め、

「夕立が来そうだから、そろそろ引き返そう」

やっぱりなんだかとっても慎重派、安全第一。素晴らしい。

帰り道も数か所のおすすめスポットで鬼瓦顔の記念撮影をして、花蓮の街に帰ってきました……と思いきや、駅前を通り過ぎ、観光客で賑わう砂浜の海岸へ。

「これあげる。食べろ」

と言って、おじさんは浜辺の屋台で買ったバナナを一本私にくれました。一日の仕事を終えてほっとしたのでしょう、自分もバナナを一本頬張っていました。

このおじさん、顔は厳ついけれど、心優しい良い人でした。思い出におじさんの写真を撮らせてもらおう。

「そこに立って、俺が撮ってやるから。ハイ、チーズ！」

やっぱり鬼瓦だね。でも、とっても味のあるいい表情。太魯閣のどんな絶景より迫力があるね。

おじさん、今日は一日、ありがとう！

エピローグ

〈泡沫《うたかた》の夢〉


ついにこの日が訪れてしまいました。日本への帰任命令……。名残惜しいです。

思い起こせば六年前、日本の空港で家族と別れる時はつらかったな。飛行機で機内食を食べながら、ナプキンでそっと涙をぬぐっている姿をCAさんに見られて恥ずかしかったことも思い出します。それが今や、こんなに台湾が恋しくてたまらなくなるとは、その時は予想もできませんでした。台湾は私にとって第二の故郷になってしまいました。

台湾に来てからは、仕事も私生活も無我夢中でした。しかし今となっては、楽しかったことも嫌だったことも、みんないい思い出として走馬灯のように頭の中を駆け巡ります。

〈合弁会社での喜怒哀楽〉

私の会社は、日本と台湾の企業が資本を出し合って作った合弁会社のため、ここぞという時はどちらの親会社も簡単には譲りません。社長は台湾の親会社からの代表、私は日本の親会社からの代表……というより、苦情窓口？　問題が生じたら、相手がたとえ社長であろうと真っ向から意見しなければなりません。

議論は、合弁関係を意識しながらも時には強硬路線。その雰囲気は「片手で握手しながら、もう片方の手でつかみ合い」といった感じ。まるでどこかの国との外交交渉のようです。

しかし、会社で激しく議論し合っても、宴会になればスイッチを切り替えます。社長も私も大人ですから、そこはお互いにわかっています。いつものように乾杯の嵐がひとしきりすると、次はカラオケタイム。ここでは片手でお互いに肩を組みながら、片手にマイクを持って演歌チャンチャカチャン。社長は日本の演歌が大好きで、私も一緒に歌えるので助かります。

タイマン期間中は、いつもより乾杯攻撃が激しかったり、肩を叩き合う力が強かったりしますが、その辺はまあ、仕方がありません。社長も私も、「だって人間だもの……」。

〈病みつき台南生活〉

台湾では会社から車の運転を禁じられていたので、必然的に行動範囲が限られてしまいました。台湾鉄道と新幹線を使って、「台湾一周　一日弾丸ツアー」を決行したこともありますが、若くないので二度とする気にはなりませんでした。結局、台南市内をくまなく歩き回り、狭いなわばりを心ゆくまでなめ回したのです。

台南は「台湾の京都」ともいわれるほど観光スポットが多いのですが、私はなぜか普通の人が全然関心を示さないような場所や光景にグッときてしまうのです。それは台南の人たちの心の温かさからくるのかもしれません。ぶっきらぼうだけれど、妙に優しくて憎めない人たち……。その面々を思い出すだけでも、じわっと目頭が熱くなってしまいます。私も老後はこんな風に人間臭く生きられたらいいな。

〈気がつけば浦島太郎〉

先日、台南の街を歩いていたら、向こうからみすぼらしい老人がこっちをじっと見ているのに気づきました。誰だろう？　不思議に思い近づいていくと、あちらの老人もこっちに近づいてくるではありませんか。ドキッとしながらも相手の顔をよく見ると、その老人は店のショーウィンドウに映った私自身であることに気づきました。私のペンネーム『台南じぃじぃ』は、このエッセイを書き始めるにあたり、半分冗談のつもりで付けたものですが、今や本当の〝じじい〟になってしまいました。六年の歳月の重みを感じます。

日本に帰ったら、玉手箱を開けた浦島太郎のように呆然としてしまうことでしょう。日本人のスピード感と勤勉さについていけるか、今から不安でいっぱいです。日本に帰る飛行機の中でCAさんに気づかれないようにそっと涙をぬぐっても、数年後には笑い話になるように、これからも頑張るしかないですね。

また来るから待っててね、台湾の皆さん！　台南の皆さん！　再見!!

番外編

魅惑の客家

〈客家との遭遇〉

台湾に来て最初の晩、宿泊したホテルでテレビのチャンネルを回していたら、「ＨａｋｋａＴＶ」というチャンネルを見つけました。話している言葉は、明らかに中国語とは違うし、なんとなく台湾語とも違うみたい。そしてその内容は、派手さはなく日本人の心にじんわりと染み込んでくるような番組づくり。聞くところによると、「客家《はっか》」という人たちがいるらしいのです（台湾の人口の一二パーセントが客家人）。

台湾の新幹線に初めて乗った時のこと、車内アナウンスが耳に入ってきました。英語と中国語、次はおそらく台湾語だな。でも、もう一つの言葉は何だろう？　……のちに、これが客家語だと知りました。

（漢字）「各位旅客您好（乗客の皆さん、こんにちは）」

（北京語）「ガーウェイ・リーカー・ニンハオ」
（台湾語）「ゴーウィ・ルーケイ・リーハー」
（客家語）「ゴーヴィ・リーハッ・シーホー」

私は台湾に来るまで、客家人の存在を知りませんでした。もしかしたらやばい集団なのかな？　でも、よく調べてみると、有名な偉い人に客家人がたくさんいました。李登輝（台湾）、リー・クアンユー（シンガポール）、孫文（中華民国）、鄧小平（中国）、タクシン（タイ）などなど、そうそうたる顔ぶれです。すごい！

※ちなみに「客家」とは〝よそ者〟という意味合いがあるようです。

〈驚きの中国古代史〉

私の大好きな歴史小説家、宮城谷昌光氏の中国古代史観によれば、商（殷）王朝の人々はもともと中原（黄河中下流域平原）の民族ではなく、海洋の民族に違いないと。

彼らは、今から約三千四百年前に忽然と現れ、戦車（ハリウッド映画でベン・ハーが乗っていたようなやつ）で一気に中原を制圧し、貨幣と漢字を普及させたそうです。戦車を作るためには車輪が必要ですが、私のようなエンジニア崩れの人間からすると、三千年以上も前に軸受けと車輪の機構を発明したことは驚異の出来事です。

また、彼らは中原を支配したあと、広大な穀倉地帯でとれた穀物を税として徴収し、巨大な倉庫に集めました。そして貨幣を発明し、商帝国で普及させたのです。市場に出回った貨幣の価値が上がりすぎると穀物を放出し、下がりすぎると穀物を買い集めることにより、貨幣価値をコントロールしたといいます。なんと、商民族は三千年以上も前に既に貨幣経済の仕組みを発明し、実践していたのです。商民族の優秀さは驚嘆すべきものです。ちなみに、当時の貨幣は「貝」を使用していたそうです。これは彼らがもともと海洋民族であった証です（彼らが発明した漢字にも「貝」の字がよく使われています）。

そしてその約四百年後、中原の主役は遊牧民族の周王朝に替わり、追われた商王朝の遺民は忽然と姿を消したそうです（これ以降は漢字に「羊」の字がよく使われるようになりました）。

台南市客家文化会館
ここに展示されている資料にも、日本に渡った客家人がいることが記されています。私の空想も１％くらいは当たっているかも。

〈壮大なる空想〉

さて、ここからは全く根拠のない私の空想（妄想？）です。

敗れた商王朝の遺民は、どこに行ってしまったのでしょうか？　海路をたどって逃げた人もいるだろうし、陸路をたどって逃げた人もいるでしょう。

海に逃げた一派は、かつて商王朝をたてる前に活躍したであろう海の彼方に。彼らは真っ赤な朝陽が昇る東方「日の本《ヒノモト》」を目指し、日本の古代海洋民族（安曇族や隼人族など）の先祖となったのではないか（海外の天気予報の晴れマークは黄色い太陽だけど、日本だけが赤い太陽なのはこの名残かも？？）。

一方、陸路を逃げた人たちは南下し、のちに「呉」や「越」を建国したのではないか。さらにそれらが滅びたあと、呉や越の遺民は米（揚子江流域が原産）や、当時大陸で流行《はや》ったおしゃれな衣服（呉服）を携えて、遠い親戚である東方の海洋民族を頼って渡海し、日本列島にたどり着いたのではないか。

また、中国大陸に残った遺民は、優秀な知能と、かつて王朝を築いた誇りや独自の文化を守り続けることにより、逃避行した先々では土着の民衆から〝よそ者〟扱いされたことでしょう。〝よそ者〟すなわち、彼らこそ「客家人」だったのではないでしょうか。彼らは土地を持たず、商売などを生業としていました。まさに「商人《しょうひと》」、すなわち商民族だったのです。

と、このように勝手な推理を進めていくと、客家人が他人とは思えなくなるから不思議です。客家人と日本人は遠い親戚ではないかと。勤勉でまじめな民族「客家人」と「日本人」。調べれば調べるほど妄想が膨らみます。

著者プロフィール

台南じぃじぃ（たいなんじぃじぃ）

国籍：日本
年齢：花も恥じらう？歳
（『マグマ大使』や『マッハGO GO GO』に夢中になった世代）
家族構成：妻一人、息子二人、娘一人（みんな日本在住）
赴任形態：単身赴任（台南市在住）
星座：牡牛座
血液型：おだやかで大らかなO型

たんしんつうしん 台湾だより

2021年2月15日　初版第1刷発行

著　者　台南じぃじぃ
発行者　瓜谷 綱延
発行所　株式会社文芸社
〒160-0022 東京都新宿区新宿1－10－1
電話 03-5369-3060（代表）
03-5369-2299（販売）

印刷所　株式会社フクイン

ISBN978-4-286-22320-9　JASRAC 出 2010505－001